中华人民共和国国家标准

有色金属矿山水文地质勘探规范

Code for exploration of hydrogeology
in nonferrous metal mines

GB 51060-2014

主编部门：中 国 有 色 金 属 工 业 协 会
批准部门：中华人民共和国住房和城乡建设部
施行日期：2 0 1 5 年 8 月 1 日

中国计划出版社

2014 北 京

中华人民共和国国家标准
有色金属矿山水文地质勘探规范
GB 51060-2014
☆
中国计划出版社出版
网址:www.jhpress.com
地址:北京市西城区木樨地北里甲11号国宏大厦C座3层
邮政编码:100038　电话:(010)63906433(发行部)
新华书店北京发行所发行
北京市科星印刷有限责任公司印刷

850mm×1168mm　1/32　4.25印张　107千字
2015年5月第1版　2015年5月第1次印刷
☆
统一书号:1580242·620
定价:26.00元

版权所有　侵权必究
侵权举报电话:(010)63906404
如有印装质量问题,请寄本社出版部调换

中华人民共和国住房和城乡建设部公告

第 670 号

住房城乡建设部关于发布国家标准《有色金属矿山水文地质勘探规范》的公告

现批准《有色金属矿山水文地质勘探规范》为国家标准,编号为 GB 51060—2014,自 2015 年 8 月 1 日起实施。其中,第 6.6.7 条为强制性条文,必须严格执行。

本规范由我部标准定额研究所组织中国计划出版社出版发行。

中华人民共和国住房和城乡建设部
2014 年 12 月 2 日

前　言

本规范是根据住房和城乡建设部《关于印发〈2011年工程建设标准规范制订、修订计划〉的通知》（建标〔2011〕17号）的要求，由华北有色工程勘察院有限公司会同有关单位共同编制完成。

本规范在编制过程中，编制组进行了广泛的调查研究和专题技术论证，结合了近年来有关新规范的使用和新技术的应用，征求了生产、科研、设计等部门和单位的意见，经多次讨论、修改，最后经审查定稿。

本规范共分8章和7个附录，主要内容包括总则，术语，矿区水文地质勘探，矿区工程地质勘探，地下水资源与环境地质评价，矿山防治水水文地质工程地质勘探，其他专项水文地质工程地质勘查，报告编制提交要求等。

本规范中以黑体字标志的条文为强制性条文，必须严格执行。

本规范由住房和城乡建设部负责管理和对强制性条文的解释，由中国有色金属工业工程建设标准规范管理处负责日常管理，由华北有色工程勘察院有限公司负责具体技术内容的解释。本规范在执行过程中如有意见或建议，请寄送华北有色工程勘察院有限公司（地址：河北省石家庄市汇通路39号，邮政编码：050021），以便今后修订时参考。

本规范主编单位、参编单位、主要起草人和主要审查人：

主 编 单 位：中国有色工程有限公司
　　　　　　　华北有色工程勘察院有限公司
参 编 单 位：中国地质科学院水文地质环境地质研究所
　　　　　　　中国恩菲工程技术有限公司
　　　　　　　中国瑞林工程技术有限公司

　　　　　　　长沙矿山研究院有限责任公司
　　　　　　　中冶北方工程技术有限公司
　　　　　　　中国矿业大学(北京)
　　　　　　　东北大学
主要起草人：刘新社　徐京苑　张发旺　马履霞　邬　立
　　　　　　　刘守强　刘建峰　许广明　宋　峰　折书群
　　　　　　　李向全　李爱兵　李蕴镭　杨天鸿　杨建安
　　　　　　　武　强　赵成宾　郭春奎　容玲聪　侯新伟
　　　　　　　蒲海波　樊　勇
主要审查人：钱学溥　林木金　王安则　李九鸣　陈基峰
　　　　　　　唐益群　梁金国　蒋　义　蒋乾周　傅耀军

目　次

1 总　则 …………………………………………… (1)
2 术　语 …………………………………………… (3)
3 矿区水文地质勘探 ……………………………… (7)
　3.1 勘探类型划分 ……………………………… (7)
　3.2 勘探程度要求 ……………………………… (8)
　3.3 勘探工程布置原则及工程量 ……………… (11)
　3.4 勘探技术要求 ……………………………… (15)
　3.5 矿坑涌水量计算 …………………………… (21)
　3.6 矿山水资源综合利用 ……………………… (22)
4 矿区工程地质勘探 ……………………………… (23)
　4.1 勘探类型划分 ……………………………… (23)
　4.2 勘探程度要求 ……………………………… (25)
　4.3 勘探工程布置原则和工程量 ……………… (27)
　4.4 勘探技术要求 ……………………………… (29)
　4.5 矿区工程地质评价 ………………………… (32)
5 地下水资源与环境地质评价 …………………… (34)
　5.1 区域地下水资源评价 ……………………… (34)
　5.2 矿区环境地质调查与评价 ………………… (34)
6 矿山防治水水文地质工程地质勘探 …………… (38)
　6.1 一般规定 …………………………………… (38)
　6.2 矿床疏干水文地质工程地质勘探 ………… (38)
　6.3 注浆防渗帷幕水文地质工程地质勘探 …… (41)
　6.4 防渗墙水文地质工程地质勘探 …………… (43)
　6.5 井下避水工程水文地质工程地质勘探 …… (44)

 6.6 老窿水防治水文地质工程地质勘探 ·················（45）
 6.7 矿区地表水防治水文地质工程地质勘探 ···········（47）
7 其他专项水文地质工程地质勘查 ·····················（54）
 7.1 岩溶矿区地面塌陷防治水文地质工程地质勘查 ·······（54）
 7.2 竖井水文地质工程地质勘查 ·······················（56）
 7.3 地温勘查 ·······································（59）
 7.4 地应力场初步调查 ·······························（61）
 7.5 矿区老钻孔处理 ·································（62）
 7.6 地下水及地表水监测 ·····························（63）
8 报告编制提交要求 ·································（65）
 8.1 一般规定 ·······································（65）
 8.2 文字报告编写要求 ·······························（65）
 8.3 附图、附表及附件 ·······························（69）
 8.4 报告提交 ·······································（70）
附录A 露天矿边坡安全等级划分 ·····················（71）
附录B 岩石、岩体质量及岩体优劣分级 ···············（72）
附录C 岩（土）样室内试验项目表 ···················（74）
附录D 井巷围岩岩体质量评价 ·······················（76）
附录E 井下水文地质钻探要求 ·······················（77）
附录F 放水试验技术要求 ···························（78）
附录G 水文地质、工程地质、环境地质图的编图及
    着色原则 ···································（80）
本规范用词说明 ·······································（83）
引用标准名录 ···（84）
附：条文说明 ···（85）

Contents

1 General provisions (1)

2 Terms (3)

3 Hydrogeological exploration in mining areas (7)

   3.1 Complexity types of exploration target (7)

   3.2 The degree of investigation intensity requirements (8)

   3.3 Investigation work layout and working quantity requirement (11)

   3.4 Investigation technical requirements (15)

   3.5 Groundwater yield estimation from mine openings (21)

   3.6 Comprehensive utilization of water resources of mines (22)

4 Engineering geological exploration in mining areas (23)

   4.1 Complexity types of exploration target (23)

   4.2 Exploration intensity requirements (25)

   4.3 Exploration work layout and working quantity requirement (27)

   4.4 Investigation technical requirements (29)

   4.5 Evaluation of engineering geological conditions (32)

5 Evaluation of groundwater resources and geological environment (34)

   5.1 Regional groundwater resource evaluation (34)

   5.2 Investigation and evaluation of environmental geology (34)

6 Hydrogeological and engineering geological investigation for water control in mines (38)

   6.1 General requirements (38)

6.2 Hydrogeological and engineering geological investigation for deposit dewatering ...... (38)
6.3 Hydrogeological and engineering geological investigation for anti-seepage grouting curtain ...... (41)
6.4 Hydrogeological and engineering geological investigation for anti-seepage wall ...... (43)
6.5 Hydrogeological and engineering geological investigation for exclusion water engineering ...... (44)
6.6 Hydrogeological and engineering geological investigation for goaf water control ...... (45)
6.7 Hydrogeological and engineering geological investigation for surface water control ...... (47)

7 Other special hydrogeological and engineering geological investigation ...... (54)
7.1 Investigation for drainage collapse prevention in karst areas ...... (54)
7.2 Hydrogeological and geotechnical investigation for shafts ...... (56)
7.3 Geothermal investigation within deposit area ...... (59)
7.4 Preliminary investigation of stress field within deposit area ...... (61)
7.5 Treatment of old boreholes in mines ...... (62)
7.6 Monitoring of groundwater and surface water ...... (63)

8 Requirements of report compilation and submission ...... (65)
8.1 General requirements ...... (65)
8.2 Composing requirements for report preparation ...... (65)
8.3 Attached figures, tables and accessories ...... (69)
8.4 Report submission ...... (70)

Appendix A Hazard and safety ranking of open-pit

	side slopes	(71)
Appendix B	Rock and rock mass quality rank of rock mass	(72)
Appendix C	Laboratory test items for rock or soil samples	(74)
Appendix D	Rock mass quality evaluation for wall rock of underground excavation	(76)
Appendix E	Requirements for underground hydrogeological drilling	(77)
Appendix F	Technical requirements for underground water release test	(78)
Appendix G	Compiling and coloring requirements for maps of hydrogeology, engineering geology and environmental geology	(80)
Explanation of wording in this code		(83)
List of quoted standards		(84)
Addition: Explanation of provisions		(85)

1 总　　则

1.0.1 为了做好有色金属矿山水文地质工程地质勘探工作，正确反映矿区水文地质工程地质环境地质条件，科学有效地进行矿山防治水，合理开发矿产，保护周围水资源和环境，制定本规范。

1.0.2 本规范适用于地质详查阶段后，水文地质条件复杂或水文地质条件中等、工程地质条件复杂的有色金属矿产矿区水文地质工程地质勘探和矿山防治水水文地质工程地质勘探。

1.0.3 矿山设计前，应进行矿区水文地质工程地质勘探。勘探阶段的工作程度难以满足矿山防治水工程设计需要时，应补充矿山防治水水文地质工程地质勘探。

1.0.4 水文地质工程地质勘探的任务和程度应符合下列规定：

　　1 矿区水文地质工程地质勘探应详细查明矿区水文地质条件及矿床充水因素，应预测矿坑涌水量，并应对矿床地下水资源综合利用进行评价，同时应提出矿山防治水建议和指出供水水源方向；应详细查明矿区工程地质条件，应评价矿体及顶底板工程地质特征、井巷围岩或露天采矿场岩体质量和稳固（定）性，并应分析和评价开采条件下可能发生的主要工程地质问题，同时应预测可能出现的主要地质灾害并提出防治的建议；应调查评价矿区的地质环境质量，应预测矿床开发可能引发的主要环境地质问题并提出防治的建议；矿区水文地质工程地质勘探应为矿床的技术经济评价及矿山建设可行性研究和设计提供依据。

　　2 矿山防治水水文地质工程地质勘探应针对矿山专项防治水技术方案，进一步查明与矿山防治水工程有关的水文地质工程地质条件；矿山防治水水文地质工程地质勘探应满足矿山防治水工程设计的需要。

1.0.5 矿区水文地质工程地质勘探和矿山防治水水文地质工程地质勘探,应与矿产地质勘探和矿山建设紧密结合,并应运用先进和综合手段进行。

1.0.6 有色金属矿山水文地质勘探除应符合本规范外,尚应符合国家现行有关标准的规定。

2 术 语

2.0.1 地下水系统　groundwater system

由边界围限,具有统一水力联系且具有水量、水质和能量输入、运移和输出的地下水基本单元及其组合。

2.0.2 水文地质单元　hydrogeological unit

具有统一边界和补给、径流、排泄条件的地下水系统。

2.0.3 水文地质条件　hydrogeological condition

地下水的分布、埋藏、补给、径流和排泄条件,水质和水量及其形成地质条件等的总称。

2.0.4 主要充水含水层　main filling aquifer

指在矿床开采条件下,对井巷或露天采坑产生充水量较大的一个或一个以上的含水层。

2.0.5 单孔抽水试验　single-well pumping test

没有观测孔而只有一个抽水孔的抽水试验。

2.0.6 多孔抽水试验　multiple-well pumping test

由一个抽水孔和若干个观测孔组成的抽水试验。

2.0.7 群孔抽水试验　interference wells pumping test

在抽水影响半径范围内,同时在两个或两个以上抽水孔中抽水并在其周围布置若干个孔观测水位的抽水试验。

2.0.8 放水试验　dewatering test

在井下采用放水工程或在地表采用涌水孔泄水降低含水层地下水位,以查清矿区水文地质条件、获得含水层水文地质参数的试验。

2.0.9 稳定流抽水试验　steady-flow pumping test

在抽水过程中,要求出水量和动水位同时相对稳定,并有一定延续时间的抽水试验。

2.0.10 非稳定流抽水试验　unsteady-flow pumping test

在抽水过程中，一般仅保持抽水量固定而观测地下水位变化，或保持主孔水位降深固定，而观测抽水量和含水层中观测孔地下水位变化的抽水试验。

2.0.11 水文地质参数　hydrogeological parameters

表征含水层水文地质特征的数量指标，包括渗透系数、导水系数、贮水系数、给水度、越流参数等。

2.0.12 地下水储存量　groundwater storage

赋存于含水层中的重力水体积。

2.0.13 水文地质概念模型　conceptual hydrogeological mode

把所研究的地下水系统实际的边界性质、内部结构、水动力和水化学特征、相应参数的空间分布及补给排泄条件等概化为便于进行数值模拟或物理模拟的基本模式。

2.0.14 地下水数学模型　mathematical model of groundwater

以水文地质概念模型为基础所建立的、能刻画和再现实际地下水系统结构、运动特征和各种渗透要素的一组数学表达式。

2.0.15 地下水预报　groundwater forecast

在模型识别和检验的基础上，给定模型的初始条件和边界条件，预报地下水的水位、水量、水质在时间和空间上的变化。

2.0.16 矿坑正常涌水量　normal groundwater yield of mine

开采系统达到某一水平（中段）时，在不含井巷突水、地表水倒灌等特别情况的正常状态下保持相对稳定的流入矿坑的涌水量。

2.0.17 矿坑最大涌水量　maximum groundwater yield of mine

开采系统达到某一水平（中段）时，在不含井巷突水、地表水倒灌等特别情况的正常状态下所形成矿坑涌水量的峰值。

2.0.18 矿山工程地质问题　engineering geological problems of mines

指采矿工程与岩体相互作用产生地质危害的总称。

2.0.19 岩体　rock mass

地质体的一部分,指与工程建筑有关,具有一定的结构,赋存在一定地质环境中的地质体,由结构面和结构体组成,即工程所辖地区及相邻地段的地质体,它有特定的自然边界,依据解决岩体稳定问题的需要所圈定。

2.0.20 工程地质岩组　engineering geological rock group

具有一定的岩石组合特征及相似的工程地质特征的岩石组合。

2.0.21 结构面　structural plane

指在地质发展历史中,岩体内形成已经开裂或者易开裂的,具有一定方向、一定规模、一定形态特征的面、缝、层、带状的地质界面。

2.0.22 结构体　structural block

指岩体中被结构面切割并包围的不同形状和大小的岩石块体(岩块)和岩块集合体。

2.0.23 岩体结构　structure of rock mass

指岩体中结构面与结构体的大小、形状及组合方式。

2.0.24 矿区环境地质质量评价　environmental geology quality assessment of mining areas

指对矿区地质环境质量现状的评价和对矿山开采条件下的地质环境质量进行预测,进而提出控制和消除因采矿而产生的有害作用及合理开发和保护地质环境的对策。

2.0.25 矿床疏干　dewatering of mine

用人工排水措施,降低有关含水层的水位(水压),使某个采矿水平(中段)的地下水部分或全部被排除,以及使底板承压含水层的水头降至低于安全水头的过程。

2.0.26 防渗帷幕　impervious curtain

在矿区主要进水通道上采用注浆的方法,在地下形成具有一定长度、厚度和深度的防渗体,堵截地下水,以确保开采安全和保护矿区周边的地下水环境。

2.0.27 防渗墙 impervious wall

在松散地层中造孔或挖槽,灌注混凝土或其他防渗材料建成的地下连续式防渗墙体。

2.0.28 避水工程 avoiding water engineering

采用井下开采的矿山,为躲开含水层或导水构造等影响而布置的巷道、硐室、防隔水矿(岩)柱等工程。

2.0.29 岩溶矿区疏干地面塌陷 ground collapse and subsidence in karst area induced by mine drainage

由于岩溶矿区疏干排水而产生的地表塌洞、沉陷或开裂。

2.0.30 老窿水 goaf water

古代采矿的小井和采空范围,以及现代生产矿井已采空的范围,包括废弃的井筒和巷道中的地下水。

3 矿区水文地质勘探

3.1 勘探类型划分

3.1.1 矿床充水类型可根据矿床主要充水含水层的储水空间特征按表3.1.1划分。

表3.1.1 矿床充水类型

类别	矿床充水类型		主要充水含水层
第一类	孔隙充水矿床		以孔隙含水层充水为主
第二类	裂隙充水矿床		以裂隙含水层充水为主
第三类	岩溶充水矿床	第一亚类:溶蚀裂隙为主的岩溶充水矿床	以岩溶含水层充水为主
		第二亚类:溶洞为主的岩溶充水矿床	
		第三亚类:地下河为主的岩溶充水矿床	

3.1.2 各类充水矿床根据矿体(层)与主要充水含水层接触关系、相对位置,可按充水方式分为直接充水的矿床和间接充水的矿床。

3.1.3 充水矿床勘探的复杂程度类型可按表3.1.3划分。

表3.1.3 充水矿床勘探复杂程度类型

划分依据	第一型 水文地质条件 简单矿床	第二型 水文地质条件 中等矿床	第三型 水文地质条件 复杂矿床
矿床的排水条件、地表水体与矿体的关系	主要矿体位于当地侵蚀基准面以上,地形有利于自然排水;主要矿体位于当地侵蚀基准面以下,附近无地表水体	主要矿体位于当地侵蚀基准面以下,附近地表水不构成矿床的主要充水因素	主要矿体位于当地侵蚀基准面以下;附近存在较大的地表水体且与地下水水力联系密切;地质构造复杂,存在沟通区域性强含水层(带)的强导水构造

续表 3.1.3

划分依据	第一型 水文地质条件 简单矿床	第二型 水文地质条件 中等矿床	第三型 水文地质条件 复杂矿床
主要充水含水层的补给条件	差	一般	好
第四系覆盖	很少或无第四系覆盖	第四系覆盖面积小且薄	第四系覆盖层厚度大,含水层分布广
水文地质边界条件	简单	中等	复杂
充水含水层富水性	弱	中等	强
隔水性能	存在良好隔水层	无强导水构造	存在强导水构造沟通充水含水层
老窿水及分布状况	无老窿水分布	存在少量老窿水,位置、范围、积水量清楚	存在大量老窿水,位置、范围、积水量不清楚
疏干排水是否产生地表塌陷、沉降	疏干排水不会产生塌陷、沉降	疏干排水可能产生少量塌陷	疏干排水可能产生大量地表塌陷、沉降

注:1 各型矿床划分应至少符合表中 3 条划分依据。
  2 充水含水层富水性按钻孔单位涌水量(q)划分,$q \leqslant 0.1$L/(s·m)为弱富水性;0.1L/(s·m)$<q \leqslant 1.0$L/(s·m)为中等富水性;$q > 1.0$L/(s·m)为强富水性。

3.2 勘探程度要求

3.2.1 勘探应研究区域水文地质条件,确定矿区所处水文地质单元的位置;应详细查明矿区地下水的补给、径流、排泄条件,区域地下水对矿区的补给关系,以及主要进水通道及其渗透性。

3.2.2 勘探应详细查明矿区含(隔)水层的岩性、厚度、产状、分布范围、埋藏条件,含水层的富水性,矿床顶底板隔水层的稳定性;应着重查明矿床主要充水含水层的富水性、渗透性、水位、水质、水温、动态变化以及地下水径流场的基本特征,确定矿区水文地质边界及其特征。

3.2.3 勘探应详细查明对矿坑充水有影响的构造破碎带的位置、规模、性质、产状、充填与胶结程度、风化及溶蚀特征、富水性和导水性及其变化、沟通各含水层以及地表水的程度;应分析构造破碎带可能引起突水的地段;应提出矿山开采防治水的建议。

3.2.4 勘探应详细查明对矿床开采有影响的地表水的汇水面积、分布范围、水位、流量、流速及其动态变化,历史上出现的最高洪水位、洪峰流量及淹没范围;应详细查明地表水对矿坑充水的方式、地段;应分析论证其对矿床开采的影响,并应提出地表水防治的建议。

3.2.5 矿层与含(隔)水层多层相间的矿床,应详细查明开采矿层顶、底板主要充水含水层的水文地质特征和隔水层的岩性、厚度、稳定性和隔水性、断裂发育程度、导水性以及沟通各含水层的情况;应分析采矿对隔水层的可能破坏情况。当深部有强含水层时,应查明主要充水含水层从底部获得补给的途径和部位。

3.2.6 被富水性中等或强的孔隙含水层覆盖的矿床,应详细查明上覆孔隙含水层的厚度、富水性、渗透性、水文地质边界条件和地下水的补给条件与运动规律,以及渗流场分布;应评价水体下开采安全性和矿床开采对上覆盖孔隙含水层的影响。

3.2.7 有老窿分布的矿床,应调查老窿区的分布范围、深度、积水和塌陷情况,并应圈出老窿区范围;应估算老窿积水量,并应提出开采中对老窿水防治的建议。

3.2.8 存在热水、有害气体的矿床,应基本查明热水和气的分布、压力、温度、梯度、流量;应大致查明热水、气的来源及其控制因素,有害气体成分及其浓度,地热盖层的厚度,以及热异常区的范围、温度及热水、气对矿床开采的影响。

3.2.9 冻土地区矿床,应详细查明冻土的类型、分布、厚度、层上水、层间水、层下水的空间分布、富水性及其对矿床开采的影响。

3.2.10 各类充水矿床应着重查明下列问题:

1 孔隙充水矿床,应查明含水层的成因类型、分布、厚度,含水介质的岩性、结构、粒度、磨圆度、分选性、胶结物、胶结程度,含水层的富水性、渗透性及其变化;应查明流砂层的分布和特征;应查明含(隔)水层的组合关系,各含水层之间、含水层与弱透水层以及与地表水之间的水力联系;应评价流砂层的疏干条件及降水和地表水对矿床开采的影响。

2 裂隙充水矿床,应查明裂隙含水层的裂隙性质、规模、发育程度、分布规律、充填情况及其富水性、透水性;应查明岩石风化带的深度和风化程度;应查明构造破碎带的性质、形态、规模及其与各含水层和地表水的水力联系;应查明裂隙含水层与其相对隔水层的组合特征。

3 岩溶充水矿床,应查明岩溶发育与岩性、构造等因素的关系,岩溶在空间的分布规律、充填深度和程度,以及岩溶含水层富水性、透水性及其变化;应查明地下水主要径流带的分布。不同亚类岩溶充水矿床应着重查明下列问题:

1)以溶隙、溶洞为主的岩溶充水矿床,应查明上覆松散层的岩性、结构、厚度,或上覆岩石风化层的颗粒组分、厚度、风化程度及其物理力学性质;应分析在疏干排水条件下产生突水、突泥、地面塌陷的可能性,塌陷的程度与分布范围以及对矿井充水的影响;对层状发育的岩溶充水矿床,还应查明相对隔水层和弱含水层的厚度及分布。

2)以地下河为主的岩溶充水矿床,应查明岩溶洼地、漏斗、落水洞等的位置及其与地下河之间的联系;应查明地下河发育与岩性、构造等因素的关系,地下河水的补给来源、补给范围、补给量、补给方式及其与地表水的转化关系,地下河出、入口处的高程、流量及其变化;应查明地下河水系与矿体之间的相互关系及其对矿床开采的影响。

3.2.11 不同充水方式的矿床应着重查明下列问题:

1 直接充水的矿床,应查明直接充水含水层的富水性、渗透性,地下水的补给来源、补给边界、补给途径和地段,以及充水含水层与其他含水层、地表水、导水断裂的关系;当顶板充水含水层裸露时,还应查明地表汇水面积及大气降水的入渗补给强度;应对底板含水层的承压性进行调查。

2 间接充水的矿床,应查明隔水层或弱透水层的分布、岩性、厚度及其稳定性,以及岩石的物理力学性质和水理性质、裂隙发育情况、受断裂构造破坏程度;顶板间接充水的矿床应查明构造破碎带和导水裂隙带,并应研究和估算原生导水裂隙带高度及采动导水裂隙带高度,同时应分析主要充水含水层地下水进入矿坑的地段;底板间接充水的矿床应查明承压含水层径流场和水压力特征,直接底板的岩性、厚度及其变化,岩石的物理力学性质和水理性质,以及断裂构造对底板完整性的破坏程度;应研究和计算采矿对底板扰动破坏深度,并应分析论证可能产生底鼓、突水的地段。

3.3 勘探工程布置原则及工程量

3.3.1 勘探工程布置应符合下列规定:

1 工程布置应结合矿区具体条件,针对主要水文地质问题,将矿区和区域的地下水、地表水和大气降水作为统一系统进行研究;应重视水文地质测绘和钻孔简易水文地质观测与编录等基础工作;抽水试验的种类和规模应能获得矿区不同地段的代表性参数,并应满足涌水量计算的要求;应运用多种勘探手段,并应加强综合分析研究,同时应查明矿区的水文地质条件及主要充水因素。

2 水文地质勘探钻孔宜构成剖面,应控制地下水天然流场的补给、径流、排泄各个地段,并应控制开采后流场变化地段,特别是进水通道地段；勘探钻孔应揭穿主要含水层或含水构造带。

3 多孔抽水试验或群孔抽水试验，主孔应布置在主要充水含水层的富水地段或强径流带上，勘探钻孔应穿过主要含水层或含水构造带；观测孔布置应建立在系统整理、研究各勘探资料的基础上，并应根据试验目的、水文地质分区情况、矿坑涌水量计算方案等要求确定；应利用可利用的地质勘查钻孔、地下水天然或人工露头作为观测孔（点）。

4 长期观测系统，宜利用已有的勘探钻孔和矿床外围的专门水文地质孔作为长期动态观测孔，应从矿山勘探开始布设，并应在矿山开采过程中加以利用；观测内容应包括水位、水温、水质等。

3.3.2 勘探工程量应符合下列规定：

1 各类型充水矿床勘探所需的基本工程量应结合矿区的具体情况确定，应以满足勘探程度要求为原则；

2 孔隙裂隙充水为主的矿床水文地质勘探基本工程量应按表3.3.2-1执行；

表3.3.2-1 孔隙裂隙充水为主的矿床水文地质勘探基本工程量

项 目		矿床水文地质条件	
		中 等	复 杂
水文地质测绘比例尺	区域	1：5000～1：50000	
	矿区	1：2000～1：5000	
水文地质勘探剖面	间距(m)	300～400	100～300
	数量(条)	3～5	≥5
钻孔简易水文地质观测与编录		全部钻孔均应进行观测，可根据实际需要选择观测项目	
抽水试验	单孔(个)	专门水文地质孔，且≥7	专门水文地质孔，且≥9
	多孔(组)	2～3	3～5
	群孔(组)	0～1	1
分层静止水位观测孔(个)		全部水文地质孔	

续表 3.3.2-1

项　目		矿床水文地质条件
		中等　｜　复杂
水动态长期观测	地表水(处)	应根据实际需要对前阶段各站取舍和补充,建立长期观测网
	钻孔(井)、泉	应根据实际需要选择代表性点,建立长期动态观测网
	勘查坑道或生产矿井	勘探坑道及主要生产矿井应设排水量观测站
	水化学样及细菌检验样	可作为水源地的井、泉、地表水点应按丰、枯季取样
水化学分析样		应选择代表性水点,以控制地表水、地下水水化学类型,评价地表水、地下水水质和侵蚀性为原则。作为生活饮用水水源的应按饮用水标准取样分析。矿体为含水层的,应分析与矿床相关的重金属离子
地面物探		宜采用多种方法综合测定
钻孔水文物探测井		应在全部水文地质孔进行
同位素分析		可根据需要选择代表性点取样,以控制地下水起源类型与转化关系为原则
遥感解译		可根据需要配合水文地质测绘,开展等比例尺的遥感解译
气象观测		远离气象台站的矿区,气象变化大时,应建立临时性的降水、气温观测站
孔内电视测试		根据需要在裂隙充水的复杂矿区,应选择 $1/3 \sim 1/2$ 的水文地质孔进行孔内电视测试

注:1 表中所列抽水试验和动态观测孔的数量,指控制矿区主要充水含水层的基本工程量。

2 矿区附近有水文地质条件相似的生产矿井资料可利用时,可根据生产矿井资料的利用情况减少相应的抽水试验或其他工作量。

3 多孔、群孔抽水试验抽水孔宜为大口径抽水孔,大口径抽水孔主要出水段以孔隙充水为主的孔径不宜小于325mm,以裂隙充水为主的孔径不宜小于219mm。

3 岩溶充水为主的矿床水文地质勘探基本工程量应按表3.3.2-2执行。

表 3.3.2-2 岩溶充水为主的矿床水文地质勘探基本工程量

项目		工程量				
		溶蚀裂隙充水为主的岩溶充水矿床		溶洞充水为主的岩溶充水矿床		地下河充水为主的岩溶充水矿床
		中等	复杂	中等	复杂	复杂
水文地质测绘比例尺	区域	1:5000～1:50000				
	矿区	1:2000～1:5000				
钻孔简易水文地质观测与编录		全部钻孔均应进行观测,可根据实际需要选择观测项目				
水文地质剖面数(条)		3～5	≥5	3～5	≥5	≥5
加深揭露底板充水含水层钻孔(个)		每条水文地质剖面不应少于3孔				
分层静止水位观测孔数(个)		全部水文地质孔				
抽水试验	单孔(个)	专门水文地质孔,且≥9		专门水文地质孔,且≥9		应根据实际条件和需要确定
	多孔(组)	2～3	3～5	2～3	3～5	
	群孔(组)	0～1	1～2	0～1	1～2	
连通试验		—		可在钻孔和地下河中进行		
水动态长期观测	地表水(处)	应根据需要对详查阶段的站取舍和补充,建立长期动态观测网				
	钻孔(个)	应根据需要对详查阶段的钻孔取舍和补充,建立长期动态观测网				
	地下河	—				应在出(人)口处设观测站
	井泉	应根据需要选择代表性点,建立长期动态观测网				
	生产矿井或勘探坑道	勘探坑道及主要生产矿井应设排水量观测站,并应进行巷道编录				
	水化学样细菌检验样	可作为水源地的井、泉、地表水点应按丰、枯季取样				

续表 3.3.2-2

项 目	工 程 量				
	溶蚀裂隙充水为主的岩溶充水矿床		溶洞充水为主的岩溶充水矿床		地下河充水为主的岩溶充水矿床
	中等	复杂	中等	复杂	复杂
水化学分析	应选择代表性水点,以控制地表水、地下水水化学类型,评价地表水、地下水质量和侵蚀性为原则。作为生活饮用水水源的应按饮用水标准取样分析。矿体为含水层的,应分析与矿床相关的重金属离子				
同位素分析	可根据需要选择代表性点,进行取样,以控制地下水起源类型与转化关系为原则				
遥感解译	可根据需要配合水文地质测绘,开展等比例尺的遥感解译				
地面物探	宜采用多种方法综合测定				
钻孔水文物探测井	应在全部水文地质孔进行				
气象观测	远离气象台站的矿区,气象变化大时,应建立临时性的降水、气温观测站				
孔内电视测试	在岩溶充水的复杂矿区,应选择1/3~1/2的水文地质孔进行孔内电视测试				

注:1 表中所列抽水试验和动态观测孔的数量,指控制矿区主要充水含水层的基本工程量。

2 矿区附近有水文地质条件相似的生产矿井资料可利用时,可根据生产矿井资料的利用情况减少相应的抽水试验或其他工作量。

3 多孔、群孔抽水试验抽水孔宜为大口径抽水孔,大口径抽水孔主要出水段孔径不宜小于219mm。

3.4 勘探技术要求

3.4.1 水文地质测绘应符合下列规定:

1 区域水文地质测绘范围宜为一个完整的水文地质单元,并应以查明区域地下水的补给、径流、排泄条件为重点;矿区水文地质测绘应包括矿床疏干可能影响的范围及补给边界,以查明矿床充水因素及矿区水文地质边界条件为重点。

2 水文地质测绘比例尺，区域宜采用 1：5000～1：50000，矿区宜采用 1：2000～1：5000；不同比例尺的水文地质测绘每平方公里的观测点数和观测路线长度可按表 3.4.1 确定。

表 3.4.1 水文地质测绘每平方公里的观测点数和观测路线长度

测绘比例尺	地质观测点数(个/km²)		水文地质观测点数(个/km²)	观测路线长度(km/km²)
	孔隙充水矿床	裂隙、岩溶充水矿床		
1：50000	0.30～0.60	0.75～2.00	0.20～0.60	1.00～2.00
1：25000	0.60～1.80	1.50～3.00	1.00～2.50	2.50～4.00
1：10000	1.80～3.60	3.00～8.00	2.50～7.50	4.00～6.00
1：2000～1：5000	3.60～7.20	6.00～16.00	5.00～15.00	6.00～12.00

注：同时进行地质和水文地质测绘时，表中地质观测点数应乘以 2.5；草测水文地质测绘时，观测点数应为规定数的 40%～50%。水文地质条件简单时应采用小值，复杂时应采用大值。

3 水文地质测绘应在比例尺大于或等于测绘比例尺的地形地质图的基础上进行，应全面搜集和充分利用航（卫）片解译、区域水文地质普查和相邻矿区的资料。

4 水文地质测绘应全面收集矿区及相邻地区历年的水文、气象资料；应详细调查矿区地形地貌，地下水的天然和人工露头及其水化学特征、岩溶发育情况、第四系松散层的形成与分布，地下水的补给、径流、排泄条件，并应圈定矿区水文地质边界；应调查地表水体的分布、水位、水深、流量、容量、洪水淹没范围、延续时间及其与地下水的关系；应调查矿山老窿区的分布及积水情况；应对现有生产矿井或勘查坑道进行水文地质编录，并应系统收集生产矿井（或露天采矿场）的水文地质资料；应采集代表性岩（土）样进行物理力学和水理性质测试；当调查区有热（气）水时，应调查热（气）水的分布、控制因素、水温、流量、水中气体及化学组分、热（气）水的补给、径流和排泄条件。

3.4.2 水文地质物探应符合下列规定：
 1 水文地质物探方法可根据矿床的水文地质条件、被探物体的物理特征及需要查明的问题进行选择，工作时宜采用多种物探方法综合勘探；
 2 物探工作的布置、测网的密度、参数的确定、检查点的数量及精度要求，可按现行行业标准《冶金勘察物探规范（试行）》YBJ 41的有关规定执行；
 3 物探资料应结合矿区地质及水文地质条件进行综合分析。

3.4.3 钻孔简易水文地质观测与编录应符合下列规定：
 1 应观测和详细记录钻进中涌（漏）水、掉块、塌孔、缩（扩）径、逸气、涌砂、掉钻等现象发生的层位和深度，应测量涌（漏）水量，揭穿含水层时应测量稳定水位并进行简易放（注）水试验。
 2 应描述岩芯的岩性、结构构造、裂隙性质、密度、岩石的风化程度和深度，以及岩溶形态、大小、充填情况、发育深度；应统计裂隙率、岩溶率。
 3 单一含水层（组）的钻孔应测定终孔稳定水位。

3.4.4 水文地质钻探应符合下列规定：
 1 钻孔控制深度应以揭穿主要目的层为原则，重点控制应与矿体主要储量分布标高一致；对底板直接或间接充水的矿床应按勘查剖面加深控制，其深度应以揭穿含水层的裂隙、岩溶发育带为原则。
 2 钻孔孔径应根据钻孔目的确定，抽水试验孔试验段孔径应以满足设计的抽水量和安装抽水设备为原则，终孔孔径不应小于91mm，水位观测孔观测段孔径应满足止水和水位观测的要求。
 3 钻孔的孔斜应满足选用抽水设备和水位观测仪器的工艺要求。
 4 钻孔施工宜采用清水钻进，当地层破碎不能用清水钻进时，应在主要含水层或试验段（观测段）用清水钻进，必须采用泥浆钻进时，应采取洗井措施。

5 钻孔揭露多个含水层时,应测定分层稳定水位;分层抽水试验和分层测水位的钻孔应进行分层止水,并应检查止水效果,不合格时应重新进行止水。

6 钻孔应取芯钻进;岩芯采取率要求岩石应大于70%,破碎带应大于60%,黏性土应大于70%,砂和砂砾层应大于50%。

7 应结合矿区的物性条件,选择方法进行水文物探测井。

8 钻孔除留做长期观测外,均应按钻孔设计要求进行封孔,封孔质量应按设计要求进行检查;钻孔封孔资料应详细说明孔口坐标、孔深、孔斜,揭露矿体及顶、底板含水层位置、封孔措施及封孔质量。

3.4.5 水文地质试验应符合下列规定:

1 抽水试验前应获得自然流场水位、流量变化趋势和速率的资料;抽水试验时,应防止抽出的水在抽水影响范围内回渗到含水层中;对覆盖型岩溶含水层,应观测地面塌陷、沉降现象。

2 可根据概化的水文地质模型和水文地质计算的要求选择稳定流抽水试验或非稳定流抽水试验方法。

3 稳定流抽水试验应符合下列规定:

1)水位降深应根据试验目的和含水层富水程度确定,应尽设备能力作一次最大降深,最大降深值不宜小于10m;当采用涌水量与降深相关方程预测矿井涌水量时,应进行3次水位降低。

2)稳定时段延续时间宜根据含水层的特征、补给条件确定;单孔抽水试验不应少于8h,潜水层抽水、带观测孔抽水和有越流以及潮汐影响的抽水,应延长至24h或观测孔水位变化符合抽水设计要求为止。

3)稳定时段内钻孔水位降深、流量稳定程度应结合区域地下水动态变化确定;抽水孔降深波动相对误差绝对值不应大于1%,观测孔水位变化不应大于2cm;涌水量波动相对误差绝对值当单位涌水量大于0.1L/(s•m)时,不

应大于其平均值的3%;当单位涌水量等于或小于0.1L/(s·m)时,不应大于其平均值的5%;波动相对误差可按下式计算:

$$波动相对误差 = \frac{最大或最小值 - 平均值}{平均值} \times 100\% \quad (3.4.5)$$

4) 抽水试验过程中应记录水位下降、流量、水温和水位恢复的连续观测资料。

4 非稳定流抽水试验应符合下列规定:

1) 非稳定流抽水试验宜采用定流量或阶梯定流量抽水,也可采用定降深抽水;定降深抽水降深应根据试验目的和含水层富水程度确定,应根据设备能力作一次最大降深,最大降深值不宜小于10m。

2) 抽水孔水位、流量的波动误差要求可按本条第3款执行。

3) 抽水孔水位、流量累计观测时间,可按对数轴上的分格点进行。

4) 抽水延续时间应根据试验目的按水位降深-时间半对数曲线$S - \lg t$形态确定,当曲线出现固定斜率的渐近线时,观测时间需后延续一个对数周期;有越流补给时,观测时间应为曲线经过拐点后趋于水平时为止;有观测孔时,应以代表性观测孔的$S - \lg t$曲线判定。

5) 停止抽水后,应按抽水试验设计要求观测恢复水位;恢复水位观测时间可按对数轴上的分格点进行。

5 对于自流井宜采用定降深放水试验,也可采用压力观测进行放水降压试验。

6 对具有多层含水层的矿区需要分层评价时,应进行分层抽水试验;水文地质条件允许,可用井中测流方法进行混合抽水,分层求取水文地质参数;对厚度大、富水性较强且自上而下富水性不均一的含水层,应分段进行抽水试验,分段求取水文地质参数。

7 群孔抽水试验应符合下列规定:

1）群孔抽水试验宜在勘查后期进行，应建立在获得矿区水文地质条件和天然流场及其动态变化资料的基础上。
  2）水位降深、降深次数和延续时间应根据矿区水文地质条件、试验目的和计算方法确定；抽水水量应对天然流场产生扰动，暴露储存量与径流量的转化关系和矿区的水文地质边界。
  3）观测孔（点）应根据试验目的和计算方法确定，宜布置在不同的富水区、参数区、边界水量交换地段，以及地表水、"天窗"、断裂带等地段；
  4）具体观测方法应按专项设计执行。

  8 水文地质条件复杂的矿床，具备进行连通试验的区域可进行连通试验，并应确定地下水的流向、补给范围、补给速度及地下水与地表水的关系；试验方法可采用水位传递法、示踪法和气体传递法。

  9 井下放水试验要求可按本规范附录F执行。

3.4.6 地下水、地表水动态观测应符合下列规定：

  1 勘探阶段应在详查阶段观测系统的基础上进一步充实和完善地下水、地表水的动态观测网，观测时间不宜少于一个水文年；观测内容应包括水位、水量、水温和水质，观测期间应掌握同期的气象资料，岩溶矿区应同步进行降雨量观测。

  2 水位、水量、水温观测，宜每隔5d～10d测量一次，雨季或动态急剧变化时段应加密；日变幅大的地区，应选定1个～2个涵盖主要变化周期的时段进行微动态观测；水质监测宜在丰水期和枯水期各取样一次，在地下水和地表水受到污染的地区应增加取样次数。

  3 应采取保护地下水动态观测设施措施，勘探工作结束后应由生产部门继续观测。

3.4.7 遥感技术的应用应符合下列规定：

  1 可采用遥感技术调查矿区岩性分布、构造形迹及环境地质问题。

2 应选择适当比例尺的遥感图像。

3 遥感图像水文地质条件解译应进行野外调查验证，验证应包括下列内容：

　　1）检验判释标志；

　　2）检验判释结果；

　　3）检验外推结果；

　　4）补充室内判释难以获得的资料。

3.5 矿坑涌水量计算

3.5.1 矿坑涌水量计算应建立在正确认识矿区水文地质条件的基础上。勘探设计时应根据已有水文地质资料，初步确定矿坑涌水量计算方案。勘探过程中应根据查明的矿区水文地质条件，修正和完善涌水量计算方案。

3.5.2 矿区水文地质概念模型和地下水数学模型应根据矿区水文地质特征、边界条件、充水方式建立。当矿区边界性质无法确定或边界性质随矿坑排水将不断变化时，应将水文地质计算域扩展到整个水文地质单元，并应建立整个水文地质单元的水文地质概念模型和相应的地下水数学模型。

3.5.3 参数计算应利用水文地质试验及地下水流场观测资料，采用稳定流、非稳定流理论，计算含水层的渗透系数、导水系数、越流系数、给水度、弹性给水度等水文地质参数。

3.5.4 矿坑涌水量计算应选择有代表性的参数及合理的计算方法，并应依据矿床开采规划，计算不同开拓水平的矿坑正常涌水量和矿坑最大涌水量。需预先疏干的矿床，应进行地下水预报，并应计算相应水平疏干涌水量和疏干时间。

3.5.5 勘探阶段矿坑涌水量计算应采用数值法。地下水数值模型应利用地下水长系列动态资料和群孔抽水试验资料进行识别和验证。矿坑涌水量计算宜采用多种矿坑涌水量计算方法与数值模型计算结果进行验证与校核。在进行矿坑涌水量计算时,应分析矿床不同开采方式、不同排水方式,以及同一地下水系统中其他矿坑和相邻矿区排水量的影响。

3.5.6 对水文地质参数来源及矿坑涌水量计算成果应进行详细评述,应推荐作为矿山一期开拓水平疏干排水设计的矿坑涌水量,并应估算与提交矿产储量标高相一致的深部矿坑涌水量,同时应分析论证计算涌水量可能偏大或偏小的原因及矿床开采后矿坑充水因素和涌水量的变化。专门性水文地质勘探报告宜认定计算的矿坑涌水量的可信度。

3.5.7 露采矿床除应计算露天采坑地下水涌水量外,宜计算暴雨汇入采坑的水量。计算暴雨汇入采坑水量时应进行理论频率的计算。

3.5.8 水文地质参数和地下水储存量、补给量、可开采量和矿坑涌水量,应修约保留 2 位~3 位有效数字。

3.6 矿山水资源综合利用

3.6.1 矿区水文地质勘探应对矿区排水的可利用性、可利用程度及利用方向等进行综合利用评价。

3.6.2 矿区内有可供利用的供水水源时,应根据现有资料做出评价;矿区无可供利用的水源时,应在区域上指出供水方向。

3.6.3 矿区内有地下热水时,应圈定热异常范围,并应大致查明热水的形成条件、估算热水量、测定其化学成分,同时应分析热水开发利用的前景。

3.6.4 矿区内符合现行国家标准《饮用天然矿泉水》GB 8537 有关矿泉水要求的水点,应对其作为矿泉水开发利用的可能性做出初步评价,并应提出进一步工作的建议。

4 矿区工程地质勘探

4.1 勘探类型划分

4.1.1 矿区工程地质勘探可按表 4.1.1 分类。

表 4.1.1 矿区工程地质勘探分类

类别	岩类	岩性	岩体稳定性	勘探工作重点
第一类	松散、软弱岩类	以第四系砂、砂砾石及黏性土,或第三系弱胶结的砂质、黏土质岩石为主	取决于岩性、岩层结构和饱水情况。稳定性差	应查明岩(土)的岩性、结构及其物理力学特征
第二类	碎裂岩类	具有碎裂结构的岩石,是原岩在较强的应力作用下破碎而形成的	取决于结构面的展布及其组合特征。完整性差、强度大大降低,呈弹塑性介质,稳定性差	应查明Ⅱ、Ⅲ、Ⅳ、Ⅴ级结构面的分布、产状、延伸情况、充填物、粗糙度及其组合关系
第三类	块状岩类	以火成岩、结晶变质岩为主	取决于构造破碎带、蚀变带及风化带的发育程度。岩体稳定性好	应查明Ⅱ、Ⅲ、Ⅳ级结构面的分布、产状、延伸情况、充填物、粗糙度及其组合关系,蚀变带的宽度、破碎程度,风化带深度及风化程度
第四类	层状岩类	以碎屑岩、沉积变质岩、火山沉积岩为主	取决于层间软弱面、软弱夹层、构造破碎及岩体风化程度。层状结构,岩体各向异性,强度变化大	应查明岩层组合特征,软弱夹层分布位置、数量、黏土矿物成分、厚度及其水理、物理力学性质

续表 4.1.1

类别	岩类	岩性	岩体稳定性	勘探工作重点
第五类	可溶岩、膨胀岩类	可溶岩类以碳酸盐岩为主，次为硫酸盐岩、盐岩等	工程地质条件较复杂	应查明岩溶和蚀变带在空间的分布和发育程度，构造对可溶岩的改造程度，上覆第四系松散层和软弱层的分布、厚度、岩性、结构和物理力学性质；并应查明膨胀岩土的岩性、产状、分布、节理、裂隙、矿物组成和膨胀性等物理力学性质；还应调查和收集地貌单元，地表水和地下水水文状况及气象资料等

4.1.2 工程地质勘探的复杂程度可按表 4.1.2 分类。

表 4.1.2 工程地质勘探复杂程度分类

划分依据	简单型	中等型	复杂型
地形、地貌	简单，地形有利于自然排水	地形地貌条件中等	复杂，地形不利于自然排水
地层岩性	单一	较复杂	复杂
地质构造	简单	发育	构造破碎带发育，区域新构造活动强烈
岩体风化程度	风化土(岩)层厚度小	风化作用中等	风化程度高
岩溶发育程度	不发育	中等发育	发育
地下水压力	无或小	存在地下水压力	地下水具有较大的压力

续表 4.1.2

划分依据	简单型	中等型	复杂型
岩体稳定性	岩体结构以块状或厚层状结构为主,岩石强度高,稳定性好	有软弱夹层及局部破碎带和饱水砂层等因素影响岩体稳定	岩体破碎,松散软弱层厚度大、含水砂层多、分布广,岩体稳定性差
矿山工程地质问题	不易发生矿山工程地质问题	局部地段易发生矿山工程地质问题	矿山工程地质问题经常发生且较普遍

注:各型划分应至少符合表中 3 条划分依据。

4.2 勘探程度要求

4.2.1 勘探应划分岩(土)体的工程地质岩组,并应查明对矿床开采不利的软弱岩组的性质、产状与分布。

4.2.2 勘探应详细查明矿区所处构造部位,主要构造线方向,各级结构面的分布、产状、形态、张开度、充填胶结特征、规模及充填、充水情况,以及结构面组合关系与力学效应;应确定结构面的级别及主要不良优势结构面,并应指出其对矿床开采的影响。

4.2.3 勘探应详细查明矿体及围岩的岩体结构、岩体质量,并应对岩体质量及其稳定性做出评价。

4.2.4 勘探应详细查明岩体的风化程度、风化带分布规律及其物理力学性质。对强蚀变矿区,应明确影响岩体工程性质的主要蚀变作用,并应圈定其蚀变范围。

4.2.5 勘探应系统、完整地测定露采和井采影响范围内各种岩石(土)及主要软弱结构面的物理力学参数。

4.2.6 可溶岩类矿床,应详细查明岩溶发育主要层位、深度、发育程度和主要特征,充水、充填情况,以及连通性及表部覆盖层的厚度、岩性、结构特征。

4.2.7 矿层及其围岩含黏土的矿区,应查明黏土的矿物成分、分布、厚度及其变化。

4.2.8 多年冻土区,应查明冻土类型、分布范围、温度(地温)、含冰率,应测定多年冻土最大融化深度,以及季融层及覆盖层剥离后多年冻土融化速度,冻胀率,冻土层的上、下限,并应确定冻土的变形特征。

4.2.9 扩大延深勘探矿区,应详细调查矿床开采中已发生的各种工程地质问题,应查明其产生的条件和原因,并应针对扩大延深可能产生的工程地质问题进行相应的工作。

4.2.10 构造活动强烈的高地应力地区,应专门进行地应力测量,并应确定矿区内不同构造部位最大和最小主应力的大小及方向。

4.2.11 边坡勘探,应查明各类边坡岩(土)层和软弱夹层的产状、岩性、结构,黏土岩的矿物成分、含量、分布范围、物理力学性质和水理性质,以及含水层的水压、透水性和岩石力学强度差异明显的岩层界面位置及特征;应查明各类结构面的发育程度、充填物成分及物理力学性质;应查明边坡与各类结构面的产状、组合关系;应划分工程地质岩组和分区,并应对边坡稳定性进行评价。

4.2.12 剥离物强度勘探,应查明岩(矿)石强度的空间分布规律,应为选择剥离(采矿)设备提供岩(矿)石的力学强度基础资料;应查明剖面上岩(矿)层层序、岩性、厚度、结构,岩(矿)石强度变化,以及岩(矿)石裂隙发育程度、规模、密度、产状、充填胶结情况,并应建立完整的地层柱状及其对比剖面;同时应查明硬岩类的层位、岩性、厚度、分布及其在剥离物中的比例。剥离物可根据岩石抗压强度按表 4.2.12 分类。

表 4.2.12 剥离物强度分类

类 别	名 称	抗压强度(MPa)
第一类	松散软岩类	<6
第二类	中硬岩类	6～15
第三类	硬岩类	>15

4.3 勘探工程布置原则和工程量

4.3.1 勘探工程的布置应符合下列规定：

1 勘探工程应能控制采矿工程可能影响的范围；

2 在详查的基础上，已确定开采方式的矿区，勘探工程的布置应与开采方式相结合；

3 勘探应重视地表工程地质测绘和地质孔的岩芯编录等基础工作，并应结合采矿工程需要，布置工程地质勘探剖面；

4 工程地质勘探剖面应与地质勘探线相结合，并应充分利用地质探矿钻孔及水文地质钻孔的成果；

5 井下开采矿区，主要工作量应放在首采区段，并应根据工程地质条件复杂程度沿矿体走向与倾向以工程地质剖面控制；

6 露天开采矿区，边坡勘探的重点应为首采区开采地段的边帮或永久帮，勘探线宜垂直于边坡走向或沿潜在滑坡方向布设；

7 剥离物强度勘探重点应为首期开采地段。勘探线应沿岩石强度变化的主导方向布置，其线距应根据岩石强度变化程度、勘探面积大小确定。

4.3.2 井下开采工程地质勘探工程量可结合矿区实际情况按表4.3.2确定。

表4.3.2 井下开采工程地质勘探工程量

项目		工程地质条件复杂程度		
		简单型	中等型	复杂型
工程地质测绘比例尺		1:2000~1:5000		
钻孔工程地质编录	占地质孔数（%）	10~20	20~30	30~50
	工程地质孔	全部工程地质孔		
工程地质剖面		1条~3条，且剖面线间距不大于500m	3条~5条，且剖面线间距不大于400m	5条~8条，且剖面线间距不大于300m

续表 4.3.2

项目	工程地质条件复杂程度		
	简单型	中等型	复杂型
工程地质钻孔	宜利用地质孔、水文地质孔进行编录和取样	每条剖面应有1个~3个	每条剖面应有2个~5个
每条剖面的钻孔数	应由2个~5个工程地质孔或具有工程地质编录的地质孔、水文地质孔组成		
工程地质钻孔深度	应控制到矿体底板或拟定开采标高以下30m~50m		
波速测试	宜在全部工程地质孔进行		
孔内电视成像	宜根据需要布置	宜在全部工程地质孔进行	
膨胀试验	宜根据需要布置	应达到工程地质孔数的1/4~1/3	
室内岩(土)样	应针对矿体围岩不同工程地质岩组分层取样。取样数：层状岩类、块状岩类及可溶岩类，每种岩石不应少于6组；每组块数按试验目的确定。松散岩类应按岩性、厚度取样。应控制到坑道底板20m~30m		

4.3.3 露天开采工程地质勘探工程量可结合矿区实际情况按表4.3.3确定。

表4.3.3 露天开采工程地质勘探工程量

项目		边坡安全等级		
		Ⅲ	Ⅱ	Ⅰ
工程地质测绘	测绘范围	应包括境界线以外宽1/2~2/3边坡高度		
	比例尺	1:2000~1:5000		
钻孔工程地质编录		应在全部工程地质孔进行		
工程地质钻探	各工程地质分区剖面条数(条)	1~2	2~3	≥3
	剖面上钻孔数(个)	3	3~4	4~5
	剖面上钻孔距离(m)	100~200	50~100	
	钻孔深度	应达到预计最低滑动面以下20m~30m		

续表 4.3.3

项 目	边坡安全等级		
	Ⅲ	Ⅱ	Ⅰ
波速测试	应在全部工程地质孔进行		
孔内电视成像	宜根据需要布置	宜在全部工程地质孔进行	
膨胀试验	宜根据需要布置	应达到工程地质孔数的 1/4～1/3	
室内岩(土)样	应针对不同工程地质岩组分层取样。取样数：块状岩类及岩溶化岩类，每类岩石不应少于 6 组；层状岩类每种岩石不应少于 6 组，每组岩块数应按试验目的确定；松散岩类应按岩性、厚度取样。软弱结构面（Ⅳ级结构面）应采取原状样进行室内试验 6 组。剥离物强度勘探根据需要确定，总试样数不应少于 6 组		

注：边坡安全等级划分应符合本规范附录 A 的规定。

4.4 勘探技术要求

4.4.1 工程地质测绘应符合下列规定：

1 测绘范围应达到采矿工程可能影响的边界外 200m～300m，图件比例尺应为 1：2000～1：5000。

2 测绘应符合下列规定：

1）应划分工程地质岩组，并应详细调查软弱岩组的岩性、产状、分布及其工程地质特征。

2）应调查矿区内软弱夹层及各类结构面的分布、物质组成、胶结程度、结构面的特征及组合关系。

3）应按岩组和不同构造部位进行节理裂隙统计，测量其产状、宽度、密度及延伸长度，编制节理走向或倾向玫瑰花图或极射赤平投影图，确定优势节理裂隙发育方向。

4）应对矿体主要围岩的风化特征进行研究。

5）应对自然斜坡和人工边坡进行实地测定，并应研究边坡坡高、坡面形态与岩体结构和坡角的关系；应调查各种物理地质现象；在多年冻土区应调查冻融区的分布、成因以及胀丘、冰锥、地下冰层、融冻泥石流堆积、热融滑塌、沉陷、沼泽湿地等的特征与分布；对含连续性冻土的矿床，还应测量冻层下限深度，并绘制冻层底板等高线及冻层等厚线图。

6) 对矿区工程地质条件有影响的地下水露头点、含水层与隔水层接触界面特征、构造破碎带的水理性质应进行重点调查研究。

7) 应详细调查生产矿井及相邻矿山的各类工程地质问题；并应调查露采边坡变形特征、变形类型、形成条件和影响因素；还应调查井巷变形破坏特征、支护情况，变形破坏与软弱层、破碎带、节理裂隙发育带等结构面的关系。

4.4.2 钻孔工程地质编录应符合下列规定：

1 钻孔工程地质编录内容应包括岩芯描述、岩芯长度统计、绘制钻孔柱状图、统计节理裂隙，以及确定钻孔中流砂层、破碎带、裂隙密集带、风化带与软弱夹层、岩溶发育带、蚀变带的位置和深度，并可按工程地质岩组用点荷载仪测定岩石力学指标；

2 应按钻进回次测定岩石质量指标（RQD）确定不同岩组 RQD 值的范围和平均值，RQD 值可按下式计算确定：

$$RQD = \frac{L_p}{L_t} \times 100\% \qquad (4.4.2)$$

式中：L_p——某岩组或回次大于10cm完整岩芯长度之和（m）；

L_t——某岩组或回次钻探总进尺（m）。

3 应根据岩石质量指标（RQD）值按本规范附录B划分岩石质量等级和岩体质量等级，辅助判定破碎带位置。

4.4.3 坑道工程地质编录应符合下列规定：

1 对矿区的勘探坑道应全部进行工程地质编录，有生产坑道时可选择典型坑道进行编录；

2 坑道工程地质编录应包括下列内容：

1）对坑道所揭露的岩层划分岩组,重点观察描述软弱夹层、风化带、构造破碎带、蚀变带、岩溶发育带的特征,分布、产状、溶蚀现象;

2）系统采取岩(矿)石物理力学试验样;

3）统计节理裂隙;

4）详细描述地下水活动对井巷围岩稳定性的影响,工程地质问题发生的位置及原因,不稳定地段掘进与支护方法。

4.4.4 工程地质钻探应符合下列规定:

1 钻孔深度应按本规范表4.3.2和表4.3.3规定执行;

2 钻孔孔径应满足采取岩、土物理力学试验样及原位测试需要;

3 应全部取芯钻进,岩芯采取率一般地层不应低于95%,软弱地层不应低于85%;

4 应进行物探测井,应结合钻探地质剖面确定岩石风化带深度、构造破碎带、岩溶发育带及层间软弱夹层的分布部位。

4.4.5 工程地质测试应符合下列规定:

1 勘探矿区应采取代表性岩、土室内试样,测定其物理力学性质;野外施工过程中,宜采用点荷载仪、携带式剪切仪进行现场测试;

2 室内岩(土)样试验项目可按本规范附录C选作;

3 岩(土)样采样应符合下列规定:

1）井下开采矿区应对一期开拓水平以上矿体及其围岩按不同岩石分别采样,露天开采矿区应在最终边坡地段自上而下分组采样。

2）块状、层状岩类应按不同岩石采样;松散软弱岩类,岩性较均一,且厚度大于10m时,应每10m采一组样;岩性不均一时,应根据岩性结构特征分层采样。

3）块状、层状岩类可直接从岩芯采样;松散软弱岩类应利用坑道或山地工程采样,在钻孔中取样时,应采用专门取芯工具,砂砾石样应保持原级配。

4) 采样规格与数量应满足试验要求。

4.5 矿区工程地质评价

4.5.1 矿区工程地质评价应根据矿区工程地质条件,划分工程地质岩组和工程地质分区。

4.5.2 矿体及围岩岩体质量评价方法可采用岩体质量系数法、岩体质量指标法、BQ法和RMR法,并宜采用两种以上方法对比评价。矿体及围岩岩体质量评价采用岩体质量系数法、岩体质量指标法可按本规范附录D执行,采用岩体基本质量指标(BQ)法应按现行国家标准《工程岩体分级标准》GB 50218的有关规定执行。

4.5.3 井下开采矿区评价应包括下列内容:

1 结合采矿方法,评价井巷围岩岩体质量,计算分析应力、应变关系及塑性区的变化规律;

2 指出井巷开拓和矿山开采可能遇到的主要工程地质问题,提出防治方法建议;

3 预测矿山开采可能引发的环境问题及其影响,提出防治方法建议。

4.5.4 露天开采矿区评价应符合下列规定:

1 坚硬、半坚硬岩类边坡,应根据边坡与各类结构面的组合关系、软弱夹层情况,分析判断并预测边坡可能滑动变形的地段、范围、变形的性质,以及滑动面、切割面的可能位置;

2 松散软岩类边坡,宜将拟建采场划分为不同的工程地质区并分区进行评价;

3 边坡稳定性计算应按边坡分区选择代表性剖面进行二维分析与计算,对于三维效应明显的Ⅰ级边坡宜采用三维稳定性分析方法验算其稳定性;

4 稳定性计算应先采用图解法、工程类比法等定性方法对边坡破坏模式、稳定状态和破坏趋势做出初步判定,然后再选用相应的方法进行计算；

5 稳定性计算应以极限平衡法为主，对存在多种破坏模式和多个滑动面的边坡应分别对各种可能的破坏模式或滑动面进行稳定性计算，并应以最小安全系数作为边坡的安全系数；

6 对于安全等级为Ⅰ级的边坡，宜采用有限元等数值分析方法进行边坡的应力场和变形场分析；

7 应根据多种方法分析计算的结果，结合已有边坡工程经验和附近自然边坡稳定状况，对各区边坡稳定性进行综合评价，应推荐边坡角，并应提出边坡维护和治理措施的建议。

5 地下水资源与环境地质评价

5.1 区域地下水资源评价

5.1.1 区域地下水资源评价应在区域水文地质测绘和矿区水文地质勘探的基础上,以矿区所处地下水系统为评价区,评价地下水系统的天然的或矿区没有开发条件下的现状补给资源。

5.1.2 地下水资源评价方法及精度不应低于当地区域水文地质调查工作程度。地下水资源量评价应以水均衡法为主,并应根据水文地质研究程度,采用数值法或其他方法对均衡法计算结果进行对比分析。地下水资源的分类分级应按现行国家标准《地下水资源分类分级标准》GB 15218 的有关规定执行。

5.1.3 区域地下水资源评价应评价在矿床开发条件下,区域地下水系统补给资源和地下水动力场的变化。区域地下水动力场的评价,应充分利用矿区水文地质勘探成果,并应结合区域水文地质资料选择评价方法,同时应进行矿床开发对区域地下水动力场影响的评价。评价时应研究系统内大气降水、地表水、地下水三水转换关系,以及地下水系统边界性质的变化。

5.1.4 区域地下水资源评价应概略评价区域地下水水质的现状,并应分析开采条件下区域地下水水质的变化趋势。

5.2 矿区环境地质调查与评价

5.2.1 勘探矿区环境地质调查应包括下列内容:

1 调查、收集地表水、地下水的环境背景值(污染起始值)或对照值;

2 对矿区开发影响范围的滑坡,崩塌,山洪、泥石流等物理地质现象进行野外调查;

3　调查地质体中可能成为污染源物质的赋存状态、含量及分布规律；

　　4　调查区有热水(气)时,应查明其分布、控制因素、水温、流量,水中气体及化学组分,了解热水(气)补给、径流、排泄条件；

　　5　矿体垂向埋深大于 500m 时,应在不同构造部位选择代表性钻孔进行地温测量,应确定恒温带深度、温度以及矿区地温梯度；

　　6　取样分析并判断氰化物、挥发酚、六价铬、汞、砷,及本矿床开发可能释放的重金属的可能性；

　　7　矿区发现有放射性元素,应评价其对安全生产和环境污染的影响；在铀矿区,应对有水钻孔和地下水露头取样,应测试水中放射性元素含量,同位素比值和化学成分,水文地球化学指标,研究其在水平与垂向的分布规律。

5.2.2　扩大延深勘探矿区环境地质调查应包括下列内容：

　　1　调查由于矿坑排水而引起的区域地下水位下降,井、泉枯竭对当地用水的影响和地下水补给、径流、排泄条件的变化；

　　2　地表水污染调查,应包括污染位置及废水、废渣中排出的主要污染物的浓度、年排放量、排放方式、排放途径和去向、处理和综合利用状况；

　　3　矿坑水污染调查,应调查放射性、汞、砷等对人体有害有毒元素在矿坑排水中的含量及废弃的尾矿和废石堆在降水淋滤作用下对水体的污染,并应调查矿坑排放的悬浮物含量大于 400mg/L 的高悬浮物水和高矿化水的排放浓度、分布范围以及对环境的危害程度；

　　4　应调查矿山开采中引起的岩溶塌陷、山体失稳、崩落、地裂、沉降等对地质环境的破坏范围、破坏程度；

　　5　应收集矿山不同开采中段(水平)的井巷围岩温度,确定其地温梯度；

　　6　应调查尾矿和废石堆放场的稳定性,根据地形、地貌、水文、气象等因素,分析形成山洪、泥石流的可能性以及复垦还田的情况。

5.2.3 矿区环境地质质量评价应符合下列规定:

1 区域稳定性评价,应根据现行国家标准《中国地震动参数区划图》GB 18306 认定本区的地震动峰值加速度和地震动反映谱特征周期;应在全国地震烈度分区的基础上,根据断裂的活动性及工程地质条件,初步阐明区域稳定性及对工程建(构)筑物的影响。

2 矿区水环境质量评价,应在查明矿区地表水、地下水的物理性质、化学成分及其变化、卫生防护条件的基础上,按现行国家标准《地表水环境质量标准》GB 3838 和《地下水质量标准》GB/T 14848的有关规定进行评价。

3 勘探矿区环境地质评价,应指出可能影响矿区安全的滑坡、崩塌、山洪、泥石流等物理地质现象的危害,以及河流洪水危害及放射性和其他有害物质的分布及其对人身安全的影响;应预测矿山开采可能引发的环境问题及其影响,并应提出防治方法建议;岩溶充水矿床应预测开采条件下可能出现的泥砂溃塌及疏干排水产生岩溶塌陷的程度、分布范围及地表水渗漏、倒灌等环境地质问题,并应提出防治建议。

4 应确定矿区地质环境类型;可根据地质环境现状及矿床开采引起的变化将矿区地质环境类型按下列规定分类:

1)第一类,矿区地质环境质量良好;采矿不引起地表变形,矿区附近无污染源,地表、地下水水质类别为Ⅰ、Ⅱ类,矿石和废石不易分解出有害组分。

2)第二类,矿区地质环境质量中等;采矿可产生局部地表变形,但对地质环境破坏不大;区内无重大的污染源,无热害,地表水、地下水水质较好,水质类别不低于Ⅲ类,矿井排水对附近水体有一定污染;矿石和废石化学成分基本稳定,无其他环境地质隐患。

3)第三类,矿区地质环境质量不良;矿区水文地质工程地质条件复杂,因采矿可带来地面塌陷、山体开裂失稳、井泉干涸等严重的环境地质问题,有热害或矿井排水以及矿石、废石有害组分的分解易造成对附近水体的污染,水体水质超过Ⅲ类。

5.2.4 对于扩大延深勘探矿区,当开采矿区已产生环境地质问题时,矿区环境地质质量评价应在查明其形成条件的基础上,对现状进行评价,并应预测其发展趋势,同时应提出防治意见。

6 矿山防治水水文地质工程地质勘探

6.1 一般规定

6.1.1 矿山防治水水文地质工程地质勘探,应结合前期的勘探成果和具体的矿山防治水方案开展。

6.1.2 勘探开始前应编制勘探设计,勘探设计应征求业主和矿山防治水设计单位的意见,并应满足防治水方案所提出的勘探要求。

6.1.3 矿山防治水应坚持综合治理、保护水资源和注意地质环境影响的原则;矿山地下水防治方案,宜采取疏干、堵截或留设防水矿柱等控制措施;矿山地表水防治方案,应采取改移、防渗、堵截等措施。矿山防治水水文地质工程地质勘探应结合矿山防治水综合治理方案进行综合性勘探。

6.1.4 矿山排水、供水、生态环保宜三位一体优化结合进行水文地质勘探和评价,应将矿井水文地质勘探与涌水量预测、水资源评价、生态环境保护的水文地质勘探与评价同时设计、同时施工,并应在统一的水文地质概念模型内同时评价。

6.2 矿床疏干水文地质工程地质勘探

6.2.1 矿山开采规划方案确定需要进行专门疏干的矿床,应进行疏干专项水文地质工程地质勘探,其成果应作为疏干设计的主要依据。以往矿区水文地质勘探中存在未查清问题时,应针对存在问题补充勘探工作。

6.2.2 疏干勘探的工程布置应与矿床开采和疏干方案相适应,勘探工程分布范围应覆盖疏干工程涉及范围,勘探工作的内容和深度应满足疏干工程设计的要求。

6.2.3 疏干勘探的技术手段应以水文地质钻探和抽水试验为主,

辅以地表物探及测井,钻孔水文地质编录和综合分析。具备条件时,可采用井下放水试验。

6.2.4 主要疏干对象为孔隙含水层时,疏干勘探应符合下列规定:

1 应查明各含(隔)水层的岩性特征、颗粒组成、透水性、不同富水区段的范围和深度。

2 控制性钻孔应揭穿所有含水层;非控制性钻孔应揭穿强含水层,含水层深度较大而需要分期疏干时,应满足一期疏干降深的需要。

3 在含水层中应按深度每5m～10m采样一组,鉴定其岩性及颗粒组成;含水层由不同粒级的沉积层组合而成时,每个粒级采样不应少于6组;非含水层采取代表性样品不应少于6组,应鉴定其岩性并测定物理力学参数;采取的样品应反映原有地层的结构及粒度特性。

4 应对疏干降水引起地面沉降的可能性及其幅度进行评价。

6.2.5 主要疏干对象为岩溶含水层时,疏干勘探应符合下列规定:

1 应查明强岩溶带的发育深度、强度,强径流带的位置,以及溶洞充填物粒度组成、充填程度等。

2 勘探线布置应保证对强径流带的控制;勘探线距宜为100m～300m,孔距宜为50m～300m;勘探钻孔应穿过主要含水层或含水构造带;对厚度大或埋藏深而需分期疏干的含水层,非控制性应满足一期疏干降深的需要。

3 基岩含水层应分不同标高采取岩芯,并应测定其空隙度;每个水文孔中应取样5个～10个,全区取样数宜为100个～200个。

4 对富水性极不均一的含水层,应采用钻孔简易水文观测、水文物探及测井,以及抽水井位定位钻孔的抽水试验等综合手段,具体确定疏干井井位及出水量。

5 应对疏干降水引起地面沉降变形及岩溶塌陷进行评价,并应圈定疏干塌陷范围。

6.2.6 群孔抽水试验和井下放水试验应符合下列规定:

1 应进行1次～3次大流量群孔抽水试验,抽水量不宜小于正常矿坑涌水量预测值的20%;具备条件时,宜利用井下放水试验代替群孔抽水试验,放水量不宜小于正常矿坑涌水量预测值的30%。

2 抽水试验或放水试验的持续时间宜大于20d,或抽水主孔及主含水层中的观测孔水位降深达到稳定状态。

3 观测网应覆盖预计的疏干影响范围;强、弱含水层分布区和补给边界附近均应布置观测孔;主含水层超过一层时,应以抽水的层位为主要观测对象,其他含水层应有3个～5个观测孔控制其水位变化。

4 实施井下放水试验时,巷道工程揭露含水层前应探水掘进,应做好安全防范预案,探水孔和放水孔施工应符合本规范附录E的规定。

6.2.7 当边坡或采场的岩体稳定性较差,需加强疏干改善其工程地质条件和开采环境时,应同时按工程地质条件复杂类型的勘探要求,在相关边坡或采场范围布置工程地质勘查钻孔。工程地质勘查钻孔应进行抽水或压水试验。

6.2.8 矿床疏干水文地质计算应符合下列规定:

1 应结合初步疏干方案计算矿床疏干涌水量,应包括正常涌水量和最大涌水量、地下水动补给量和静储量;应预测疏干过程中地下水位下降速度和矿床疏干进程。

2 矿床疏干水文地质计算应采用数值法,计算内容应包括疏干工程的数量、间距、单井涌水量、影响半径、总涌水量、疏干动流场等。

3 疏干工程布置宜设定两种或两种以上不同的方案,计算相应的疏干水量,并应对计算结果进行对比分析,推荐优选方案。

4 疏干水用做供水时,应评价疏干水量作为供水水源的保证程度;对保证程度评价可按现行国家标准《供水水文地质勘察规范》GB 50027的有关规定执行。

6.2.9 矿床疏干勘探报告除应符合本规范第8.1节的规定外,还应符合下列规定:

1 应阐明矿区含水层富水地段和强径流带的平面位置、标高分布,以及其与矿体之间的空间关系;应提交2个~3个水平的水文地质平面图和5个~8个代表性水文地质剖面图。

2 采用地表疏干的矿区,应提出疏干抽水井布置的建议;并应提出疏干抽水井的井型、井径、深度、间距、单井涌水量、井壁结构、过滤器及填砾层结构等基本参数的推荐指标。

3 采用地下疏干的矿区,应分区、分层描述含水层本身的富水性及其顶、底板地层的岩体稳定性条件,并应描述含水层导水性、孔隙度等条件随深度的变化趋势;应划分并在相关图件中标明强岩溶发育带、强径流带的空间位置、分布范围等。

4 应预测疏干排水后可能引起的地面塌陷、沉降、开裂的范围和深度,并应评述对周边地质环境的影响程度。

6.3 注浆防渗帷幕水文地质工程地质勘探

6.3.1 当矿区选用防渗帷幕防治水技术方案时,应对矿区帷幕幕址进行水文地质工程地质勘探。幕址的水文地质工程地质勘探应结合设计的帷幕线进行。幕肩及帷幕线上的勘探孔应能在今后帷幕注浆时利用,勘探孔的布置原则及主要技术要求宜与注浆孔一致。勘探中应选择水文地质条件有差异的不同地段分别进行压水试验及注浆试验,确定不同幕段的注浆参数。

6.3.2 矿区防渗帷幕水文地质勘探应查明下列问题:

1 拟建帷幕地段含水层及隔水层的空间分布,各层岩性、厚度、透水性、风化程度、物理力学性质;

2 拟建帷幕地段主要构造破碎带的分布及规模,岩石的破碎程度及透水性;

3 拟建帷幕地段主要进水通道的位置、规模、导水性,以及与地表水的水力联系;

4 注浆层中岩溶、裂隙的发育及充填程度,充填物的成分及抗冲刷的能力;

5 注浆层的单位吸水率、吸浆量、渗透系数、浆液扩散半径等。

6.3.3 帷幕线勘探工程的布置应符合下列规定：

1 帷幕线岩溶分布及过水通道探测宜采用地面五极纵轴电测深或三极、四极激电测深；测点点距宜为4m～10m，测深点距宜为5m～20m；

2 勘探孔间距应根据帷幕线各区段的水文地质复杂程度分别选择40m或80m，其深度应达到隔水层或相对隔水层；勘探孔布置应达到探明帷幕线的平面隔水边界和隔水或相对隔水底板。

6.3.4 帷幕线勘探孔施工应符合下列规定：

1 开孔直径不应小于130mm，终孔直径不宜小于91mm。

2 应根据拟建帷幕的顶部标高位置下入套管，并应采取止水措施。

3 基岩中应采用清水钻进。

4 钻孔偏斜度不应大于孔深的1.0%，岩溶地区可为1.5%，每50m孔深应测斜一次；孔深大于200m时，钻孔偏斜距离不应大于注浆孔间距的1/2。

5 基岩完整段岩芯采取率不应低于80%，基岩破碎注浆段不应低于50%。

6 勘探孔留作注浆试验时，勘探孔遇岩溶发育段或破碎带应下花管，花管孔隙率不应小于15%；破碎段或岩溶充填段应设置过滤器。

7 全孔应进行简易水文地质观测和水文地质工程地质编录。

8 反映不同岩性特征、岩石破碎程度、岩溶和裂隙发育情况的代表性岩芯应予以保留。

9 完成相关试验的勘探孔应根据后续需要进行处理，不应影响后续注浆施工；勘探孔不再利用时，应按本规范第7.5.6条的要求封孔；勘探孔计划后期利用时，应根据后期利用的要求处理。

6.3.5 帷幕线钻孔应分段进行压水试验或注水试验，试段长宜为10m～30m，遇溶洞或裂隙发育段，应以揭露该溶洞或裂隙为准；

压水试验应符合现行行业标准《钻孔压水试验规程》DZ/T 0132的规定，孔底沉渣应小于 0.5m。

6.3.6 注浆防渗帷幕勘探报告除应符合本规范第8.1节的规定外，还应明确帷幕线的隔水端及隔水底板位置，并应提交帷幕线岩层透水率，浆液扩散半径及单位吸浆量，岩溶发育程度、规模、位置及主要过水通道位置等资料，同时应预测和评价帷幕工程对矿区及周边地质环境和水环境的影响。

6.4 防渗墙水文地质工程地质勘探

6.4.1 当矿区拟采用防渗墙作为主要防治水手段时，应进行防渗墙水文地质工程地质勘探。

6.4.2 防渗墙水文地质工程地质勘探应查明下列问题：

1 造墙部位第四系含水层的地层结构、厚度、岩性、渗透系数、颗粒组成、密度、干湿体积密度、富水性、饱和度、相对密度、干燥与饱和状态下的安息角及内摩擦角、变形模量、孔隙比及含水层中孤石的分布和大小，第四系含水层与下伏基岩含水层或含水构造、地表水的水力联系；

2 造墙部位基岩含水层的岩性、透水性、风化程度与深度、容重、抗压强度、变形模量等，基岩隔水层的埋深及其隔水性；

3 造墙部位构造破碎带的产状、规模、含水性、导水性等；

4 含水层地下水类型、地下水流向、静止水位、最高水位，造墙后所必须承受的最大静水压力或动水压力；

5 当造墙黏土需求量较大时，应探明造墙所用黏土的分布、质量、储量等。

6.4.3 防渗墙勘探的技术手段应以水文地质钻探和水文地质试验为主，辅以地面物探措施。勘探工程的布置应能控制防渗墙两端相对隔水层和底部相对隔水层顶板的分布、埋藏情况。确定相对隔水层的标准应符合国家现行有关防渗墙设计标准的规定。

6.4.4 防渗墙勘探孔间距应根据含水层厚度及底板起伏情况确

定,宜为20m～50m;勘探孔应穿透含水层,进入相对隔水层不应小于10m。压水试验应符合现行行业标准《钻孔压水试验规程》DZ/T 0132的有关规定,试段长度宜为5m。

6.4.5 防渗墙勘探报告应包括下列主要内容:

　　1 防渗墙所处范围的水文地质平面图、纵剖面图及横剖面图,图件比例尺应为1:200～1:500;

　　2 提出防渗墙平面边界、底部深度及构筑厚度等参数的建议;

　　3 根据设计所要达到的防渗标准,提出与勘探地段含水层性质相适应的防渗墙类型和构筑材料的建议;

　　4 预测和评价构筑防渗墙后对矿区及周边地质环境和水环境的影响。

6.5 井下避水工程水文地质工程地质勘探

6.5.1 当矿区内有多个相对独立的矿体,矿体间存在相对隔水的岩层或相对简单的水文地质区段,拟采用避水工程防水时,应进行避水工程的水文地质工程地质勘探。

6.5.2 勘探工作程度应符合下列规定:

　　1 应查明拟采矿体与主要含水层的空间位置关系;

　　2 应查明避水工程与主要含水层的安全距离;

　　3 应能为巷道、硐室、防隔水矿(岩)柱的布置和留设提供依据。

6.5.3 勘探宜采用下列手段和方法:

　　1 水文地质勘探宜采用井下物探、钻探、监测、放水试验、现场及实验室测试等手段;

　　2 宜采用井下与地面相结合的综合勘探方法。

6.5.4 勘探工程的布置应符合下列规定:

　　1 应垂直隔水层走向布置勘探线,勘探线网度可与探矿网度一致;当隔水岩层规模较小时,网度应加密,勘探剖面条数不应少于3条。

　　2 井下物探宜按20m×10m网度探测,应覆盖巷道全空间,应包括巷道两帮、顶板、底板以及工作面前方;探测深度应控制到越过隔水层与含水层边界进入含水层不小于10m。

3 每条勘探剖面宜设3个~7个钻孔,钻孔深度宜进入含水层不小于10m;超前工作面探水钻孔数量不宜少于3个,应探明含水层的边界。

6.5.5 井下物探应符合下列规定:

1 巷道掘进过程中,无法确定导水破碎带、主要含水层位置时,应用井下物探初步确定导水破碎带、岩溶裂隙的位置、规模等;

2 可根据地质条件选用电法、电磁法、地震物探等地面物探方法或井下瞬变电磁法、隧道反射成像超前预报系统TRT6000或隧道地震波预测TSP等超前探测物探方法,并应布置钻孔对物探资料进行验证。

6.5.6 井下水文地质钻探应符合本规范附录E的规定。每个钻孔应进行简易放水试验,应测定流量与水压。空间位置和水文地质条件符合井下放水试验要求的钻孔,应装好压力表,并应作为井下放水试验的放水孔或观测孔。

6.5.7 当需验证与疏干和防排水有关的水文地质工程地质条件,查明拟采矿体与主要含水层的关系,验证拟采矿体各中段地下水流动量、静储量时,可开展局部坑道放水试验。局部坑道放水试验除应符合本规范附录F的规定外,还应符合下列规定:

1 应建立局部坑道放水试验观测网,观测孔的布置应全面覆盖拟查区的整个空间区域;

2 放水量应根据矿坑实际排水能力设定;

3 放水试验应采用钻孔放水的方式,放水孔应有闸阀控制流量。

6.5.8 避水工程勘探报告应阐明隔水层性质、含水层边界、拟采矿体与主要含水层的空间距离,并应提出矿体安全开采的界线。

6.6 老窿水防治水文地质工程地质勘探

6.6.1 当矿区存在老窿水威胁,且现有水文地质工作未能查清老窿及采空区分布和积水情况,不能满足矿山防治水需要时,应进行老窿水防治水文地质工程地质勘探。

6.6.2 老窿水防治水文地质工程地质勘探应查明老窿水分布、体积、水质等状况,以及老窿水与矿体的水力联系。

6.6.3 老窿水防治水文地质勘探的主要技术手段可采用地面调查、地球物理勘探、水文地质钻探、水化学和同位素分析、抽水试验或放水试验和水文监测等。

6.6.4 老窿水防治水文地质工程地质勘探,应首先收集采矿许可证或矿床开发利用方案所设定的开采范围及采矿方法、矿井开采及关闭时间、老窿及采空区的位置和开采、充水、排水的资料,以及矿山停采原因等以往开采资料,并应进行老窿区地面调查、圈定老窿区范围、估算积水量。

6.6.5 当地面调查不能查清老窿水的分布及水量等因素时,应采用地面与井下相结合的综合勘探方法。应首先采用物探、水化学和同位素分析等勘探手段,然后采用水文地质钻探和抽(放)水试验对资料进行验证。

6.6.6 老窿区勘探线应按纵向和横向控制进行布置;每条勘探线上的钻孔数,应结合老窿及采空区的形状、范围等具体情况确定,不宜少于3个。

6.6.7 当掘进工作面临近积水的老窿区时,必须进行超前探放水。

6.6.8 井下进行老窿水探水前,应编制探水设计并制订相应的安全防范措施。探测老窿水的超前距离,应根据水压、矿层或岩层厚度和强度及安全措施等情况确定,但最小超前距离不宜小于30m。探测老窿水的钻孔,应在探测方向的水平面和竖面内呈扇形布设,并应能查清矿体受影响范围、顶板和底板可能存在的老窿水。探水钻孔数量及间距应根据具体的地质条件和工程条件确定。

6.6.9 老窿水防治勘探报告应阐明老窿水的分布和状况,以及老窿水与矿体的水力联系,提出防治老窿水的建议。

6.7 矿区地表水防治水文地质工程地质勘探

6.7.1 当地表水构成矿床开发的主要危害,需专门进行治理时,应进行相应的水文地质工程地质勘探。勘探工程布置和相关试验内容应与初步防治水方案的具体要求紧密结合。

6.7.2 地表水防治资料收集和调查应包括下列内容:

1 收集矿区附近历年的降雨量观测资料,观测年限不宜少于20年;主要内容应包括历年各月降雨量、历年日最大降雨量、历年连续3日及连续7日最大降雨量。

2 需设防的地表水体为河流时,应收集矿区附近历年河水流量、水位变化的长期观测资料;矿区范围内对水位、流量应有不少于1个水文年的实际观测资料;应实地调查矿区范围历史洪水淹没位置,根据淹没高度推算历史洪峰流量。

3 地表水体为水库、湖泊、海水时,应收集地表水体的正常水位,最高、最低水位或潮位,浪高、风向和最大风速等资料,资料涉及的观测年限不宜少于20年。

4 应进行矿区地形、地貌、植被、水体岸线的侵蚀或淤积情况等的实地调查、测绘;调查了解现有水利工程与矿区的位置关系,相关的设计标准,以往及今后矿区附近水利工程对相关水体水文参数的影响等。

6.7.3 河床防渗水文地质工程地质勘探应符合下列规定:

1 河道治理范围的水文地质工程地质调查精度,应根据地质条件的不同选择不同的比例尺;地表主要为可溶岩分布区、潜在开采塌陷区时,图件比例尺应为1:500,其他情况下可为1:1000～1:2000;应详细进行河床渗漏量及河床附近地下水位的观测,并应分雨季和旱季评价河床渗流量。

2 垂直河道延伸方向,可溶岩分布区每50m～100m,其他地层每100m～200m应布置1条勘探剖面,剖面总数不应少于5条;每条剖面宜布置勘探钻孔2个～5个;河床范围为松散沉积层覆盖时,应采用物探剖面测量对含水层及基岩顶面进行加密控制。

3 拟采用河床衬砌防渗的孔隙或溶隙含水层,勘探钻孔应分布于衬砌范围以内;控制性钻孔应揭露含水层底板,其他勘探孔的深度宜为15m;每条剖面应有1个～3个钻孔抽水试验;所有钻孔应进行详细的工程地质水文地质编录;河床地层软硬不均时,应圈定软土层厚度、分布范围,并应进行原位测试,同时应评价其承载力。

4 拟采用注浆防渗的河段,勘探钻孔应主要分布于注浆范围以内,控制性钻孔应揭露含水层底板,其他钻孔深度宜为50m;每条剖面应有1个～3个钻孔抽水试验,其技术要求以及其他试验内容应符合本规范第6.3节的有关规定;地表调查或物探推断可能存在溶洞的地段应加密钻孔验证;高度大于5m的大型溶洞应有工程控制其分布范围。

5 当河床位于矿体上方,或位于采矿移动线范围内,相应河段除应调查含水层的相关性质外,还应评价矿体上方隔水层的岩性、厚度、隔水性、适应变形的能力;应针对主要隔水层进行岩(土)抗压强度、抗拉强度以及变形参数的测试,试样组数不宜少于6组。

6 提交的主要图件资料应包括防渗河段及其上、下游段的水文地质工程地质平面图、纵剖面图和横剖面图,图件比例尺应为1:500～1:1000。

6.7.4 河流改道水文地质工程地质勘探应符合下列规定:

1 拟定的新河床区域应具备比例尺不小于1:2000的水文地质工程地质图件;原矿区相应比例的测绘范围不能覆盖新河床可能布置区域时,应进行补测。

2 拟定的新河床沿线地层不能确定为隔水层时,应针对存在不确定性的区段布置1条～3条横向勘探剖面或1条纵向剖面控制其水文地质条件;钻孔控制深度应达到设计河床底板以下10m～15m;新河床沿线存在含水层且该含水层与开采区存在潜在水力联系的地段,应按本规范第6.7.3条的要求布置勘探钻孔并进行抽水试验。

3 拟定的新河床临近陡坡,或可能存在其他不良工程地质条件时,应针对边坡的稳定性或其他不良地质条件进行评价;勘探钻孔位置和数量应同时满足工程地质评价的要求;当新河床范围可能存在不良工程地质体时,应布置专门的工程地质勘探钻孔,并应进行相应的试验、测试。

4 采用输水隧洞实施河流改道时,应沿隧洞走向进行水文地质工程地质带状图测绘,测绘比例尺不应小于1:1000;隧洞沿线地表覆盖物厚度较大,地表测绘无法满足要求时,应沿隧洞轴线进行物探剖面测量;隧洞进、出口段,以及正常洞身段的各个主要工程岩类区段应布置工程地质勘查钻孔;在洞身及其顶板范围采取物理力学试验样,试样组数不宜少于6组;应综合地表测绘、物探解释、钻孔控制以及试验等资料,预测隧洞沿线的地层分布及其产状变化、断裂带位置、规模等工程地质条件,进行岩体稳定性分区;当隧洞正常过水流量大于$20m^3/s$时,勘探工作内容应符合现行行业标准《中小型水利水电工程地质勘察规范》SL 55有关地下硐室勘察的规定。

5 河流改道起点的拦水坝应布置专门的勘探剖面,剖面上勘探孔数宜为3个～5个,钻孔深度宜为20m～30m;坝基地层导水性强时,勘探钻孔应控制到含水层底板;在需对坝基采取注浆处理时,应按本规范第6.3节的有关要求和试验内容进行水文地质勘探工作。

6 提交的主要图件资料,应包括改道河段及其上、下游段,隧洞段水文地质工程地质平面图、纵剖面图和横剖面图,图件比例尺不应低于1:1000。

6.7.5 防洪堤水文地质工程地质勘探应符合下列规定:

1 拟定的防洪堤位置应具备图件比例尺不小于1:2000的地表水文地质工程地质图件;原矿区相应比例的测绘范围不能覆盖防洪堤布置区域时,应进行补测。

2 沿拟定防洪堤轴线每隔200m～300m应布置1条水文地

质工程地质勘探剖面,每条剖面宜布置2个～3个勘探钻孔;钻孔深度宜为10m～15m,控制性钻孔应进入下伏稳定隔水地层1m以上;每条剖面应有1个～2个孔的抽水试验;相邻工程间的水文地质工程地质条件变化大,不能确定其地质条件或地质参数的连贯性时,应加密剖面或钻孔;防洪堤沿线地层结构复杂时,应沿防洪堤轴线进行物探剖面测量,并应加密控制堤坝地基岩性和覆盖层厚度变化。

3 防洪堤勘探应查明下列主要问题:
　　1)地表水体水位或潮位、流速、浪高;
　　2)岸线冲刷、淤积、崩塌特征,预测其发展趋势;
　　3)堤岸地层岩性、厚度、层序及其分布,渗透系数及边坡稳定性;
　　4)土层的组成物质、颗粒级配、结构状态、物理力学性质和水理性质;
　　5)地下水位标高和变化幅度,地下水与地表水的水力联系程度;
　　6)是否存在贯穿堤内外的古河道、卵石层、溶洞、采空区等。

4 主要地层单位每层应采取不少于6组的岩土物理力学试验样;特殊土的性质、软土的压缩性等应进行相应室内试验及原位试验,试验数量应根据其分布范围确定;防洪堤平均高度大于5m时,勘探工作应符合现行国家标准《水利水电工程地质勘察规范》GB 50487有关堤防工程地质勘察的规定。

6.7.6 调洪水库水文地质工程地质勘探应符合下列规定:

1 应根据地质条件的复杂程度确定地表水文地质工程地质测绘的比例尺;坝址区宜采用1∶500～1∶1000的比例尺,库区宜采用1∶2000～1∶5000的比例尺。

2 水文地质工程地质测绘应查明的地质问题应包括下列内容:
　　1)库、坝区是否存在滑坡、泥石流、落水洞、溶洞、崩塌、开采塌陷等不良工程地质现象;

2）库区分布有泥石流时,查明地表汇水面积、表层松散岩土性质、风化程度和厚度、构造破碎物质、弃渣堆积量,估算泥石流供给物质的体积;调查沟床纵坡、急弯、基岩陡坎等泥石流径流条件,历史泥石流痕迹及供给物质来源,最新堆积物分布特点、堆积范围,并评价其活动程度及危害性;

3）库区及坝址为岩溶区时,查明可溶岩层与非岩溶层的分布、接触关系,库区岩溶地层向低邻谷或坝下游河段的延伸及水力联系,地表和地下溶洞发育位置及高程、规模、充填比例及充填物性质、相互间连通性,以及岩溶发育随深度变化的规律;调查岩溶含水层的补给范围、主要补给源和补给方式,库区及坝区含水层的地下水水位、排泄方向,泉水的位置、高程、成因及其赋存条件,进行泉水流量的动态观测;

4）调查库区及坝址所处构造部位,褶皱和断裂发育特征,库区至坝下游河段之间的断层及其影响带的位置、性状,溶洞发育情况;判断是否存在明显渗漏,及其可能发生的部位,确认滑坡、崩塌等堆积体的规模和稳定程度。

3 库区应布置纵向、横向勘探剖面,每条剖面宜布置3个~5个钻孔;勘探孔深度应控制到库底以下50m,在原设计终孔位置存在不良地质体时,应穿过不良地质体后再终孔;剖面位置和钻孔深度应能反映库区基本地质构造和主要岩层的产状和分布,以及地下水位分布特征;库区可能存在向低邻谷渗漏条件时,应增加勘探剖面或钻孔的个数,并应进行1个~3个孔的抽水试验。

4 应沿坝轴线布置纵向勘探线,勘探孔距宜为30m~50m,钻孔总数不应少于5个;当坝高大于20m时,应布置1条~3条垂直坝轴线的横向勘探剖面,每条剖面宜布置2个~3个勘探孔;坝址区勘探孔在第四系含水层中均应进行抽水试验,基岩段应进行抽水或压水试验;坝基为含水层分布区时,勘探钻孔应揭穿含水层,进入隔水层5m;其他地层勘探钻孔的深度应大于或等于坝高;

坝址存在潜在的不良工程地质体时,应根据不良地质体的潜在深度确定钻孔深度;需针对坝基进行注浆防渗时,勘探和试验工作应符合本规范第6.3节的有关规定。

5 当坝基可能有溶洞存在时,应在钻探前实施物探剖面测量;物探剖面的条数宜为3条~5条,地质条件复杂时应增加1条~3条辅助剖面;物探点间距不宜大于10m;物探成果的地质解译应有钻孔验证。

6 应调查、访问库区所在河流的淹没痕迹,并应测定河床纵、横断面,同时应估算历史洪峰流量。

6.7.7 截水沟水文地质工程地质勘探应符合下列规定:

1 截水沟勘探应以地表水文地质工程地质调查为主,应调查截水沟沿线是否存在滑坡、落水洞、潜在的不稳定区、变形破坏地质体等不良地质现象,并应了解以往采空区及采空塌陷区的分布。

2 对常年流水的截水沟,可按强($K>1.0$m/d)、中(1.0m/d$\geqslant K>0.1$m/d)、弱($K\leqslant 0.1$m/d)三级划分截水沟沿线地层的渗透性;针对强渗透地层,应布置钻孔或渗坑测定地层渗透系数,试验数量宜为3次~6次;试验钻孔的个数应根据截水沟穿过透水层段的长度及其导水性调整。

3 应对截水沟沿线的总体稳定性进行评价;对土质山坡,应按土层成因、性质及其组合特征分区评价其工程地质条件;对岩质山坡,应根据岩性、层面、构造及其与山坡或边坡的空间关系分区评价其工程地质条件;对古滑坡,应评价其在截水沟影响下重新活动的可能性。

4 截水沟位于开采移动线附近时,应评价开采因素对截水沟的影响。

6.7.8 水体下矿床的水文地质工程地质勘探应符合下列规定:

1 在矿区水文地质工程地质勘探的基础上,还应符合下列规定:
  1)当矿体上方的隔水体主要为松散沉积层时,应详细查明松散沉积层的成因类型、岩性、厚度及其变化规律,含水层与隔水层的组合关系；应查明隔水层天窗的分布范围。

2）当矿体上方的隔水体主要为基岩时，应重点查明隔水层的岩性、厚度、隔水性能、断裂带的性质、宽度、断距、延伸范围、导水性，以及隔水层适应变形的能力。

3）当矿体为陡倾斜产出时，主勘探线应垂直矿体走向布置，辅助勘探线应垂直于水体岸线，勘探线距宜为100m～200m，孔距宜为100m～200m；当矿体为缓倾斜产出时，主勘探线应垂直于水体岸线布置，辅助勘探线应垂直于矿体走向，勘探线距、孔距应为200m～500m。

4）应采用地震物探剖面测量；物探剖面间距宜为钻孔勘探线距的0.5倍～1倍，测点点距宜为10m～20m；当水深较大，钻孔施工困难时，地震物探应为主要的勘探手段；平面上，物探边界超出矿体分布范围的距离不宜小于各方向矿体的水下埋深；物探探测深度应超过矿体底板深度200m以上；物探数据处理应采用三维物探数据处理技术，应有钻孔对物探资料进行验证。

2 应分别对主要含水层及主要隔水层进行分层抽水或压水试验，试验孔数不应少于3个孔。

3 应分别针对松散地层中的隔水层和基岩采取岩芯样，每个钻孔应针对不同岩（土）类别采取3个～5个试样，全矿区每类地层取样数不宜少于30个；隔水层的岩石（土）样应分别进行体积密度、抗压强度、变形参数和渗透系数的测试。

4 对水文地质工程地质条件复杂的水体下矿床，应进行专门的巷道水文地质工程地质调查和放水试验，进行水文地质工程地质调查的巷道应在超前钻孔探水的指导下掘进，放水试验中可利用井下钻孔测压代替或补充地表钻孔水位观测。

5 矿体延伸到水体附近时，应留设防水保安矿柱；应根据矿床的水文地质工程地质条件和具体的采矿方法确定保安矿柱尺寸。

7 其他专项水文地质工程地质勘查

7.1 岩溶矿区地面塌陷防治水文地质工程地质勘查

7.1.1 当矿区排水疏干可能引起或已出现大面积岩溶塌陷、沉陷或地表开裂时,应进行岩溶矿区疏干地面塌陷防治水文地质工程地质勘查。勘查工程应首先布置在现有建(构)筑物、居民点、地表水等重点防治区。

7.1.2 岩溶矿区地面塌陷防治水文地质工程地质勘查程度应符合下列规定:

1 应查明已产生的地面塌陷分布、规模、形态、活动规律及其所造成的危害;

2 应查明第四系土层分布、厚度、岩性、结构、富水性及物理力学性质;

3 应查明基岩岩溶、裂隙、含水层分布和岩溶主导方向、规模及深度;

4 应分析已产生的地面塌陷成因类型、形成-演化模式;

5 应预测可能产生地面塌陷的范围,并应进行地面塌陷程度分区。

7.1.3 岩溶矿区地面塌陷防治水文地质工程地质勘查,宜采用地面物探、钻探、抽水试验、地下水示踪试验、地下水动态监测等方法。

7.1.4 地面物探应符合下列规定:

1 应根据勘查矿区的水文地质条件、被探测地质体的地球物理特征和不同的工作目的确定勘探方案,并应经现场试验,选择适合勘查区的物探方法。

2 地面物探应布置在矿山疏干影响区范围内,测线应垂直于断裂构造、地层走向及岩溶、土洞和塌陷坑的发育方向。

  3 宜采用多种物探方法进行综合探测并应相互验证。

  4 物探测网布置应根据矿区水文地质条件和物探方法要求确定,各种物探方法推荐的测网布置应符合下列规定:

   1)高密度电法的探测深度不宜超过120m,探测基本网度宜采用50m×5m;导水通道、塌陷区地表河流及塌陷密集区可加密到20m×5m。

   2)地面五极纵轴电测深或三极、四极激电测深适宜的探测深度可达300m～350m,探测基本网度宜采用50m×20m;导水通道、塌陷区地表河流及塌陷密集区应加密到20m×10m;塌陷活跃区可加密到10m×5m。

   3)浅层地震法、多波地震映像法的探测基本网度宜为50m×0.5m,导水通道、塌陷区地表河流及塌陷密集区可加密到20m×0.5m。

   4)面波法探测的基本网度宜为50m×3m,导水通道、塌陷区地表河流及塌陷密集区可加密到20m×3m。

   5)当塌陷区内有地表河流时,应垂直河流延伸方向布置5条～10条物探测线。

   6)建筑物密集及河流、水塘区,可采用不规则测网。

  5 物探工作布置、参数确定、检查点数量和重复测量误差、资料处理及解释应符合现行行业标准《冶金勘察物探规范(试行)》YBJ 41的规定;应选择代表性地段对物探解释进行钻孔验证。

  6 物探工作结束后,应提交相应的综合成果及图件。

7.1.5 水文地质工程地质钻探应符合下列规定:

  1 在塌陷高发区和塌陷活跃区,每条剖面应布置3个～5个勘查钻孔;在塌陷低发区和稳定区,每个区可选择2条～3条剖面,每个剖面应布置2个～3个勘查钻孔;钻孔应根据物探调查结果布置。

  2 钻孔深度应揭穿浅部岩溶发育带;在塌陷高发区和活跃区

应设置控制性钻孔,控制性钻孔揭穿完整基岩不应少于50m;一般性钻孔揭穿完整基岩不应少于10m。

  3 钻孔施工应符合本规范第4.4.4条的规定。

7.1.6 在塌陷高发区或活跃区应进行1次~3次大流量抽水试验或井下放水试验;抽水流量应满足使抽水井附近不小于50m的范围内地下水位降至第四系覆盖层底板以下的要求;在进行大流量抽水或放水试验前,应先进行试验的风险性分析,并应制订应急预案。抽(放)水试验不应影响矿山现有建(构)筑物、居民点、道路等公共设施的安全。

7.1.7 岩溶矿区地面塌陷防治水文地质勘查报告应包括下列主要内容:

  1 岩溶和塌陷的发育特征、形成机制与发育规律;第四系含水层的分布、岩性、埋藏条件、富水性、渗透性等;

  2 地下水水位标高、变化幅度与塌陷的关系,地下水、地表水与塌陷的联系程度;

  3 岩溶地面塌陷发育现状、形成机理和条件;

  4 预测塌陷的发展趋势,评价塌陷的危害程度,提出预防治理措施的建议;

  5 提交各探测剖面综合解释图及工程地质剖面图,图件比例尺不应低于1:1000;

  6 在综合分析研究岩溶塌陷全部勘探成果的基础上,对研究范围内现有建(构)筑物、居民点、道路及地表水体等受塌陷的影响程度进行评价。

7.2 竖井水文地质工程地质勘查

7.2.1 竖井设计前应进行竖井水文地质工程地质勘查,勘查手段应包括地表工程地质测绘、地面物探、钻探和抽水试验。

7.2.2 存在下列情况之一时,可不施工专门勘查孔,应综合已有地质资料提交井筒水文地质工程地质预测剖面图及有关参数作为竖井设计的依据；竖井深度大于300m时，应采用1条～3条物探剖面对预测地质剖面进行验证：

1 当竖井井位及周围水文地质、工程地质条件均简单，附近75m范围内已有地质资料比较完整的其他钻孔时；

2 井位及周围水文地质条件简单、工程地质条件中等、附近25m范围内已有地质资料比较完整的其他钻孔时。

7.2.3 竖井勘查孔施工应符合下列规定：

1 竖井周边工程地质条件复杂时，应施工专门勘查孔。

2 竖井勘查孔宜布置在井筒中心；受其他条件的限制，钻孔不适宜在井筒中心施工时，其距井筒中心的距离不宜大于15m。

3 竖井勘查孔施工前，应先在井位周边进行地表水文地质工程地质测绘及辅助物探剖面测量，地表测绘和物探测量的平面范围尺度不应小于竖井的深度，测绘的比例尺应为1∶500～1∶1000。物探剖面宜为3条～5条，测点间距应为5m～10m。

4 竖井勘查孔的终孔直径不应小于91mm；当竖井深度大于700m时，终孔直径不应小于75mm；需进行特殊试验和测井或地层地质条件复杂时，勘查孔径应能满足试验和钻进工艺要求；竖井勘查钻孔的深度应超过设计井底深度5m～10m；勘查钻孔在井底附近已揭露影响竖井建设的不良地质体时，应穿透该不良地质体。

5 竖井勘查孔应全孔取芯。基岩孔段主要工程地质岩组的分层平均岩芯采取率不应低于95%，松散地层和构造破碎带的分层岩芯采取率不应低于80%。

6 钻进中孔斜测量点间距不应大于50m；钻孔偏斜率不应大于1%，钻孔轨迹偏离井筒中心的最大距离不应超过10m。

7.2.4 勘查孔每30m～50m深度应采取一组样品进行物理力学性质的常规试验。同时，还应保证各主要工程地质岩组的采样数量不应少于6组。真厚度超过5m的破碎带应专门取样、试验。破碎带较多时，应选其代表性地段取样，样数不宜少于6组。全孔物理力学试验采样数量不宜少于30组；竖井深度小于300m时，全孔物理力学试验总数不应少于20组。常规试验的内容应符合本规范附录C的有关规定。

7.2.5 设计井口标高以下有松散沉积层时,应对松散沉积物采样进行相应的土工试验及原位测试。土工试验采样或原位测试点的间隔变化范围宜为2m～5m。对由不同粒级沉积层组成的含水层,每个粒级宜采样3组～5组,测定颗粒组成。对需采用冻结法治水的地层,应采样进行热物性试验;热物性试验每种岩性类别宜采样10件,样品尺寸不宜小于$\phi 75mm \times 200mm$。土工试验内容应符合本规范附录C的有关规定。

7.2.6 当存在特殊性岩土时,应按现行国家标准《岩土工程勘察规范》GB 50021 的有关规定进行采样和试验。

7.2.7 竖井深度小于300m的井段,应采用分层抽水试验取得井筒围岩的水文地质参数。每个分层应完成3次降深。抽水试验的最大降深应大于竖井穿过该水层段时所承受水头的20%,稳定时间不应少于8h。当抽水量超过$20m^3/h$仍不能满足降深要求时,可将抽水设备最大能力达到的降深作为试验的最大降深。水文试验的其他要求应符合本规范第3.4.5条的规定。抽水结束前应采取水质分析样,并应测定水温,同时应对地下水的腐蚀性进行评价。

7.2.8 竖井深度大于300m的井段,如不能进行抽水试验,应进行分段压水试验。压水试验段长宜为30m～50m。压水试验的水泵排量不宜小于$20m^3/h$,最大压力值不宜小于该试验段静水压力的1.5倍,稳定时间不应少于0.5h。无法达到1.5倍静水压力的孔段,应按实际达到最大压力值的100%、80%和60%三个压力级别完成试验,每个压力级别应分别稳定0.5h。

7.2.9 当竖井深度大于700m时,应进行地温测井,测点间距宜为5m。围岩物理力学性质变化较剧烈时,应连续进行声波测井,测点间距不应大于2m。已有证据表明矿区存在地应力异常时,应进行地应力测井或取样试验。应力测量的起始孔深宜为300m～500m,

测点或取样点间距不应大于50m。根据地质条件判断可能存在放射性异常时，应进行放射性测井。

7.2.10 井筒水文地质条件简单，不需要采取专门治水措施时，竖井勘查孔终孔后应采用水泥砂浆全孔封孔，砂浆标号不应低于M5。当预测井筒涌水量较大，需采取专门治水措施时，勘查孔可留做竖井治水的注浆孔。

7.2.11 竖井勘查应预测竖井涌水量。井筒深度小于300m或水文地质条件简单的井筒深度小于500m时，可全井筒统一预测涌水量。当井筒较深或穿过多个含水层、水文地质条件沿井筒深度有变化时，应针对主要含水层或水文地质条件不同的井段，分别预测涌水量。

7.2.12 竖井勘查报告中应包括地表地质调查成果图件、物探剖面测量的基础数据和地质解释资料，以及按工程地质岩组划分的各岩类的平均参数，还应提交钻孔柱状图并按钻进回次提交基础数据库和全部岩芯照片。基础数据库的内容应包括地层岩性划分及描述，分回次的岩芯采取率、RQD及裂隙率统计、冲洗液消耗量、动水位测量，各类试样采样位置，以及各类测井数据等。

7.3 地温勘查

7.3.1 矿体埋藏于当地侵蚀基准面以下的深度大于500m时，应在不同构造部位选择代表性的探矿钻孔测温。

7.3.2 小型矿床测温钻孔个数不应少于3个，大型矿床不应少于5个。钻孔中的测温点间隔宜为10m。矿体主要赋存标高地温超过30℃时，应增加测温钻孔的个数。

7.3.3 对存在地热异常的矿床，应采用航天或航空影像及其他遥感信息判读、研究引起矿床热异常的地质构造性质、规模及其分布规律。应采用地震物探、电法或电磁法调查矿床基底起伏形态，以及隐伏断裂、导水构造的性质、规模、产状、空间展布及其组合配套关系等。遥感和物探工作范围应覆盖全矿区，或覆盖影响热异常的地质单元。

7.3.4 因深断裂或火山机构等构造因素引起地温异常的矿床,应增加测温钻孔的个数,以及流量测井和气体分析等测试、研究内容。测温钻孔的个数应达到勘探钻孔的30%。应通过测量和分析研究,查明深断裂带、火山机构等地温异常体的规模、产状,以及其内、外部的温度变化幅度。

7.3.5 矿体主体赋存范围平均地温超过30℃以及存在地下热水的矿床,应根据岩石的热物理性质对矿体和围岩进行分类。应针对各主要热物性岩类,分别采取岩芯样品测定密度、比热、热导率、孔隙度等参数,并应分析热物性参数的空间变化规律。应查明储热层及盖层的岩性、厚度、埋深、孔隙率、渗透系数、给水度等。

7.3.6 矿体主体赋存范围平均地温超过30℃,且因地下水活动而使地温场发生复杂变化的矿床,测温钻孔的比例应达到矿区全部探矿钻孔的50%以上。受地下水活动影响的钻孔宜同时进行温度和流量测井。岩性和含水性变化复杂的矿区,还应增加密度、声波、电阻率、天然电位、天然伽马、中子等其他测井项目。

7.3.7 存在地下热水的矿床,应专门针对热水含水层进行1组~3组抽水试验,应取得评价热水的计算参数。每组试验应完成3个降深,各降深之差不应小于10m,稳定时间不应小于24h。在观测水位的同时,应观测抽水过程中水温的变化。抽水结束后应持续观测水位恢复的全过程。

7.3.8 钻孔温度测井应在停止钻进的1d~3d后进行。在测温钻孔中宜选择有代表性的钻孔进行放射性测井,测井孔数不宜少于5孔。放射性超过安全生产允许范围时,应进行环境安全性评价。

7.3.9 矿区地下水温超过30℃,且预测热水涌水量大于500m^3/d时,地温勘查可按现行国家标准《地热资源地质勘查规范》GB/T 11615的有关规定执行。

7.3.10 地温测量基础数据和解释成果应为相应矿区水文地质勘探提交资料的组成部分。

7.4 地应力场初步调查

7.4.1 矿区位于已知高地应力地区或矿体埋藏于当地侵蚀基准面以下的深度大于700m时，应进行地应力测量。

7.4.2 地表地应力测量钻孔的布置应涵盖不同的构造部位。应初步了解矿区应力场特征，应包括主应力方向及应力水平。在活动构造带附近或构造带成矿的情况下，钻孔布置应兼顾构造带边缘应力集中区及其以外的区域，应分别了解区域应力场和构造带附近应力集中的程度。

7.4.3 地表地应力测量的钻孔个数应为3个。在下列情况下宜增加钻孔个数：

1 大型矿床或矿床开采深度超过1000m；

2 矿床受新构造控制，存在明显的残余构造应力，或构造引起应力集中时；

3 矿体厚大、连续，需要形成较大空间的独立采场。

7.4.4 矿区地表地应力测量宜采用水力压裂法、声发射法。深度较浅时，可采用应力解除法，深度较大或应力较高时，还可采用孔壁剥落超声波测量法。向深部延伸的续建矿山，应在已有的深部巷道中施工应力测量钻孔。

7.4.5 地表地应力测量在深切河谷的底部应从地表下100m开始，其他地区可在孔深300m开始。每个测量钻孔中的测点或取样点数不应少于7个，测点间距宜为50m。

7.4.6 在开拓巷道中进行地应力测量时，应避开巷道周边因巷道开挖而形成的应力集中区，以及因矿体开采引起地应力重新分布的影响区。矿床不同位置的巷道中地应力测量点的数量不应少于5处。测点选择应避开局部构造和岩性变化的区段。巷道中的同一测量点，宜分别施工2个～3个不同方向的应力测量孔。钻孔中地应力测点到巷道壁的最小距离应大于巷道或硐室直径的3倍。

7.4.7 针对地应力测量范围内的矿体及围岩的各主要工程地质层应分别采样,进行岩爆倾向性试验。每类岩石采样数量不宜少于5组。

7.4.8 地应力测量报告应包括下列内容:

1 综合矿区地质构造特点和应力测量结果,描述矿区地应力场的基本特征;

2 说明矿区是否为区域性地应力集中区;

3 最大、最小主应力方向,以及矿体主要赋存标高的地应力变化范围;

4 最大主应力与垂直应力的比值及其随深度的变化;

5 受新构造控制的矿床,确定是否因新构造活动而产生局部地应力集中,以及应力集中的范围和强度;

6 初步评价矿石和主要围岩的岩爆倾向性;

7 描述所采用的测量方法的原理、限制因素、测量精度,测量过程中所获得的基础数据,应力分析过程中对数据的取舍原因,以及测量实施过程中出现的异常情况及其对结果的影响评价。

7.5 矿区老钻孔处理

7.5.1 老钻孔处理前,应收集、整理矿区各类钻孔的孔口坐标、孔深、孔斜、揭露矿体及顶底板含水层位置、封孔措施及封孔质量等资料。

7.5.2 矿山开采未采取疏干措施时,揭露矿体直接顶板含水层或直接底板含水层的未封闭或封闭质量不合格的老钻孔,应重新扫孔并全孔灌浆封闭,矿床疏干可利用的钻孔除外。

7.5.3 矿区设计采用保护顶板的采矿方法,矿体间接顶板含水层不采取预疏干措施时,揭露矿体及间接顶板含水层的未封闭或封闭质量不合格的老钻孔,应重新扫孔并全孔灌浆封闭。

7.5.4 矿体间接底板含水层水头压力超过直接底板隔水层允许承受的水头压力,或超过间接底板赋存标高时,揭露矿体及间接底板含水层的未封闭或封闭质量不合格的老钻孔应重新扫孔并全孔灌浆封闭。

7.5.5 对于揭露矿体及顶、底板含水层的未封闭老钻孔,如确实无法重新封孔时,应在中段平面图上标出其具体位置并评价其可能影响范围。基建和开采过程中若含水层水位未降至该中段标高时,应在其可能影响范围附近采取探、放水措施,放水过程应延续到含水层水头降至该中段标高。

7.5.6 封孔应采用高浓度水泥浆,其水、灰比应为 0.5∶1～0.75∶1。可采用硅酸盐水泥、矿渣水泥作为封孔材料;对具有酸性地下水的矿区,应采用耐酸水泥。

7.6 地下水及地表水监测

7.6.1 在矿区勘探阶段监测基础上,矿山基建和开采期间仍应对采矿影响范围内地下水、地表水的水位、水质、水温,地表水径流量和矿坑排水量进行动态监测。

7.6.2 地下水、地表水监测网应能控制矿山疏干影响范围内地下水、地表水的动态变化。监测点的布设应避开矿山开采的影响,应选择有代表性的钻孔、井、泉、地表水体或生产矿井。勘探阶段应在各类观测孔或其他观测点中选留部分孔或观测点用于后期监测。矿山基建、开采期间应结合矿山开采需要补充完善监测网。

7.6.3 永久性地下水位观测孔应布置在露天最终境界以外或坑下开采错动范围以外。

7.6.4 当矿区存在多个含水层时,应分层监测地下水水位,第四系含水层宜独立设置监测孔。

7.6.5 下列部位应设立专项地下水监测点:
  1 注浆帷幕、防渗墙等堵水工程内、外侧;
  2 采矿影响范围内的地表水体上、下游;
  3 可能受矿山排水疏干岩溶塌陷影响的特定建(构)筑物。

7.6.6 地下水、地表水监测频率应符合下列规定:
  1 地下水、地表水水位监测频率应为每月 1 次～3 次,雨季

或地下水位急剧变化时,应加密到1d～5d测量1次;

  2 地表水径流量及水温监测频率应为每月1次,矿坑排水水量及水温应每天进行观测;

  3 地下水、地表水水质监测频率应为每季度1次。

7.6.7 对大、中型露天矿,大面积崩落法开采的矿山、岩溶裸露或其他降雨径流渗入量对采矿安全有影响的矿山,应在矿区建立简易气象观测站。

8 报告编制提交要求

8.1 一般规定

8.1.1 水文地质条件复杂或水文地质条件中等、工程地质条件复杂矿区的水文地质工程地质勘探报告,宜单独编制,应与矿产地质勘探报告同时提交。

8.1.2 矿产地质勘探报告提交后,为矿山防治水工程设计需要进行的专门水文地质工作,应单独编写补充水文地质勘探报告或专项水文地质工作报告。

8.1.3 大中型矿区水文地质工程地质勘探文字报告编写、附图、附表及附件,应按本规范第 8.2 节和第 8.3 节的要求执行;补充水文地质勘探报告或专项水文地质工作报告,可根据实际情况进行精简或合并。为矿山防治水工程设计需要进行的专门水文地质勘探,其报告的编写内容和附图、附表、附件,应着重阐明与矿山防治水工程相关的水文地质、工程地质、环境地质内容。

8.2 文字报告编写要求

8.2.1 文字报告应内容齐全、重点突出、论证有据、数据准确、文字通顺、结论明确,文、图、表应协调一致、互为补充,成为一个整体。

8.2.2 报告文字应符合下列规定:
1 工作概况章节应包括下列内容:
1) 说明矿山水文地质工程地质勘探任务的来源与要求;
2) 简要评述矿区以往水文地质、工程地质、环境地质工作的程度;
3) 概述本次水文地质工程地质勘探工作的时间和完成的工作量。

2 勘探工程章节应包括下列内容：
　1）说明矿区勘探类型和勘探工作阶段；
　2）阐明勘探的指导思想、工作原则和采用的工作方法；
　3）论述各项勘探工程的主要内容、布置、成果及质量评价。
3 自然地理章节应包括下列内容：
　1）概述勘探区的地形和地貌条件；
　2）简述气象和水文特征。
4 区域水文地质章节应包括下列内容：
　1）简述水文地质单元范围；
　2）简述区域含(隔)水层的岩性、厚度、产状与分布，含水层的富水性分区及地下水补给、径流、排泄条件。
5 矿区水文地质章节应包括下列内容：
　1）阐明矿区在水文地质单元的位置，最低侵蚀基准面标高，矿区的水文地质边界，含水层(组)的岩性、厚度、产状、分布、埋藏条件、水文地质参数和富水性分区，隔水层的岩性、分布、产状、稳定性及隔水性，地下水补给、径流、排泄条件及水位(水压)、水温、水质的动态变化规律，矿床充水主要含水层及其与矿层之间的关系；
　2）阐明主要构造破碎带的位置、性质、规模、产状、埋藏条件、导水性、富水性及其对矿床充水的影响；
　3）阐明地表水与地下水的水力联系及其对矿床开采的影响；
　4）岩溶矿区阐明岩溶发育程度、分布规律及其对矿床充水的影响；
　5）已开采矿山阐明老窿的分布范围、坑口标高、开采的最大深度及标高、积水情况及其对矿床开采的影响。
6 矿坑涌水量预测章节应包括下列内容：
　1）论证并确定矿区内外水文地质边界，建立水文地质概念模型、数学模型并论证其合理性；

2) 阐明各计算参数的来源,并论证其可靠性和代表性;
3) 对各种计算方法计算的结果进行分析对比,推荐可供矿山设计利用的矿坑涌水量,并分析涌水量可能偏大、偏小的原因。

7 矿区水资源综合利用评价和矿山防治水建议章节,应包括下列内容:

1) 对矿坑水的供排结合及矿区作为供水水源的地下水、地表水、矿泉水和地下热水的水质、水量及其利用条件进行初步评价,如矿区内无可作供水的水源时,应指出供水方向;
2) 根据矿区具体水文地质、工程地质条件和环境保护要求,指出矿山防治水的方向和应注意的主要问题。

8 矿区工程地质特征章节应包括下列内容:

1) 阐明工程地质岩组的划分及其特征,论述矿区工程地质岩组划分的依据和原则,各工程地质岩组的分布、岩性、厚度和物理力学性质;着重阐明软弱层的分布、岩性、厚度、水理和物理力学性质及其对矿床开采的影响。
2) 阐明结构面分级及其特征,论述矿区所在地的构造部位,主要构造线方向,各级结构面的特征、分布、产状、规模、充填情况、组合关系及优势结构面对矿床开采的影响。
3) 阐明风化带、蚀变带发育情况及其特征,论述风化带性质、结构类型和发育深度,蚀变带的性质、结构类型和分布范围。
4) 阐明工程地质分区及其特征,说明工程地质分区原则。

9 工程地质评价章节应包括下列内容:

1) 露天边坡的稳定性评价,根据构成边坡岩体的岩性、结构面特性、水文地质条件和坡体受力条件,进行边坡分区,确定边坡类型,建立边坡地质模型并进行破坏模式分析;选择评价方法,根据需要进行边坡稳定性计算,对各边坡的稳定性做出评价,并对评价方法的合理性进行论证;提出建议的最终边坡角。

2)井巷围岩稳固性评价,根据矿体及井巷围岩的工程地质特征,评述岩(矿)体的质量,对其稳固性做出评价,指出不稳定的因素,可能产生的工程地质问题及其部位,提出工程措施的建议。

10 矿区环境地质章节应包括下列内容:

1)阐明矿区环境地质特征,论述区域地震历史,历年来地震的次数、位置及烈度,历史上出现的最高烈度;地表水、地下水的环境背景值(污染起始值)或对照值;地质灾害的种类、分布、规模、发生时间、发育特征、成因、危险性大小、危害程度。

2)说明污染源分布及对环境的影响。

3)说明放射性异常、地热异常、高地应力环境状况。

11 环境地质评价章节应包括下列内容:

1)确定矿区地质环境类型;

2)评述区域稳定性,在全国地震烈度分区的基础上,根据断裂的活动性及工程地质条件,初步阐明区域稳定性及对工程建筑物的影响;

3)评述矿区水环境质量现状;

4)评述矿区内地质灾害发育现状,分析危害对象和危害程度;

5)预测矿山开采对地下水、地表水的水质可能污染的情况;

6)预测矿山开采可能引起的地质灾害类型、影响范围和程度;

7)根据矿区地质环境的现状评价,提出矿区地质环境的治理和恢复措施建议。

12 结论与建议的内容应论述矿区水文地质、工程地质和地质环境的类型,勘探成果能否满足规范的要求,能否作为矿山建设的依据;应简述矿区主要水文地质、工程地质、环境地质问题的结论;应指出勘探工作中存在的主要问题和开采过程中可能出现的问题,应提出下一步工作的意见及防治的建议。

8.3 附图、附表及附件

8.3.1 附图、附表和附件应完整、系统、数据准确、清晰美观和实用。

8.3.2 附图应包括下列图件:
1 矿区水文地质勘探实际材料图;
2 区域水文地质图;
3 矿区水文地质图及水文地质剖面图;
4 矿区工程地质图及工程地质剖面图;
5 钻孔水文地质工程地质综合柱状图;
6 钻孔抽水试验综合成果图;
7 矿床主要充水含水层地下水等水位(水压)线图;
8 地下水、地表水、矿坑水动态与降水量关系曲线图;
9 矿坑涌水量计算图;
10 其他图件,可根据矿区水文地质、工程地质特征和矿山防治水工程设计实际需要编制。

8.3.3 附表应包括下列表格:
1 勘探钻孔一览表;
2 钻孔(井)抽水试验成果汇总表;
3 钻孔简易水文地质、工程地质综合编录一览表;
4 地下水、地表水、矿坑水动态观测成果表;
5 气象要素统计表;
6 风化带、构造破碎带及含水层厚度统计表;
7 矿坑涌水量计算表;
8 井(泉)、生产矿井和老窿调查资料综合表;
9 水质分析成果表;
10 岩(土)样试验成果汇总表;
11 工程地质动态观测资料汇总表;
12 矿区环境地质调查资料汇总表。

8.3.4 附件应包括下列内容：

1 电子文档形式的典型钻孔、典型含水层段或合同规定范围钻孔的岩芯照片，大型抽水试验中现场抽水设备、测流设施及其布置、过滤器形式、滤料等资料性照片，以及反映矿区地貌特征的航空、航天遥感影像图片；

2 抽水试验中抽水井流量、其他地表及地下水点的流量、各观测孔水位等原始观测资料，工程地质编录中的各钻孔回次岩石质量指标(RQD)、裂隙率统计资料；

3 勘探合同规定的其他资料；

4 有关勘探的其他专业报告和(或)专题研究报告。

8.3.5 水文地质、工程地质、环境地质图的编图及着色原则，可按本规范附录G的要求执行。

8.4 报告提交

8.4.1 提交的纸质文字报告及附图、附表、附件，应按现行行业标准《固体矿产勘查报告格式规定》DZ/T 0131的有关规定进行编辑和印刷。

8.4.2 报告除提交纸质成果资料外，还应提交按国家现行有关勘查成果地质资料电子文件汇交格式要求编辑的正文、附图、附表、附件、数据库和软件等电子文档资料。

附录 A 露天矿边坡安全等级划分

A.0.1 露天矿边坡灾害等级可根据边坡发生滑坡崩塌所造成的危害程度和经济损失,按表 A.0.1 划分。

表 A.0.1 边坡灾害等级划分

灾害等级		Ⅰ	Ⅱ	Ⅲ
危害程度	人身伤亡	人员伤亡	人员受伤	无伤亡
	设备损伤	重大设备损伤	轻微设备损伤	设备无损伤
经济损失（万元）	直接	>100	50~100	<50
	间接	>1000	500~1000	<500
综合评定		很严重	严重	不严重

A.0.2 露天矿边坡安全等级可按表 A.0.2 划分。

表 A.0.2 边坡安全等级划分

边坡工程安全等级	边坡高度 H(m)	边坡灾害等级
Ⅰ	>300	Ⅰ、Ⅱ
	300≥H>100	Ⅰ
Ⅱ	>300	Ⅲ
	300≥H>100	Ⅱ
	≤100	Ⅰ
Ⅲ	300≥H>100	Ⅲ
	≤100	Ⅱ、Ⅲ

附录 B 岩石、岩体质量及岩体优劣分级

B.0.1 岩石质量等级可按表 B.0.1 划分。

表 B.0.1 岩石质量等级

等级	岩石质量指标(RQD)(%)	岩石质量描述	岩体完整性评价
Ⅰ	90～100	极好	岩体完整
Ⅱ	75～90	好	岩体较完整
Ⅲ	50～75	中等	岩体中等完整
Ⅳ	25～50	差	岩体完整性差
Ⅴ	<25	极差	岩体破碎

注:表中岩石质量指标(RQD)指钻孔中用 75mm 二重管金刚石钻头获取的大于 10cm 的岩芯段长度与该回次钻进深度之比。

B.0.2 岩体 Z 值范围及其优劣分级可按表 B.0.2 划分。

表 B.0.2 岩体 Z 值范围及其优劣分级

岩体结构类型	代号	岩体质量系数 Z 值一般范围				
整体结构	Ⅰ$_1$	2.5～20				
块状结构	Ⅰ$_2$	0.3～10				
层状结构	Ⅱ$_1$	0.2～5				
薄层状结构	Ⅱ$_2$	0.08～3				
镶嵌结构	Ⅲ$_1$	0.2～2.5				
碎裂结构	Ⅲ$_2$、Ⅲ$_3$	0.05～0.1				
散体结构	Ⅳ	0.002～0.1				
岩体质量系数 Z		<0.1	0.1～0.3	0.3～2.5	2.5～4.5	>4.5
岩体质量等级		极坏	坏	一般	好	特好

B.0.3 岩体质量分级可按表 B.0.3 划分。

表 B.0.3 岩体质量分级

岩体分类	Ⅰ	Ⅱ	Ⅲ	Ⅳ	Ⅴ
岩体质量指标 M	>3.0	1.0～3.0	0.12～1.0	0.01～0.12	<0.01
岩体质量	优	良	中等	差	坏

附录C 岩(土)样室内试验项目表

表C 岩(土)样室内试验项目表

<table>
<tr><th colspan="2">试验项目</th><th>砂性土</th><th>黏性土</th><th>多年冻土</th><th>软岩</th><th>半坚硬岩石</th><th>坚硬岩石</th></tr>
<tr><td rowspan="4">成分</td><td>颗粒组成</td><td>+</td><td>+</td><td>+</td><td>+</td><td>—</td><td>—</td></tr>
<tr><td>矿物成分</td><td>+</td><td>+</td><td>+</td><td>+</td><td>+</td><td>+</td></tr>
<tr><td>化学成分</td><td>—</td><td>+</td><td>+</td><td>+</td><td>+</td><td>+—</td></tr>
<tr><td>黏土矿物</td><td>—</td><td>+</td><td>+</td><td>+</td><td>—</td><td>—</td></tr>
<tr><td rowspan="10">物理性质</td><td>比重</td><td>+</td><td>+</td><td>+</td><td>+</td><td>+</td><td>+</td></tr>
<tr><td>密度</td><td>+</td><td>+</td><td>+</td><td>+</td><td>+</td><td>+</td></tr>
<tr><td>相对密度</td><td>+</td><td>—</td><td>—</td><td>—</td><td>—</td><td>—</td></tr>
<tr><td>天然含水率</td><td>+</td><td>+</td><td>—</td><td>+</td><td>+</td><td>+</td></tr>
<tr><td>软化系数</td><td>—</td><td>—</td><td>—</td><td>+</td><td>+</td><td>+</td></tr>
<tr><td>孔隙率(比)</td><td>+</td><td>+</td><td>—</td><td>+</td><td>+</td><td>+</td></tr>
<tr><td>界限含水率</td><td>—</td><td>+</td><td>—</td><td>—</td><td>—</td><td>—</td></tr>
<tr><td>膨胀性(膨胀量、冻胀量)</td><td>—</td><td>+</td><td>+</td><td>+</td><td>—</td><td>—</td></tr>
<tr><td>耐崩解性指标</td><td>—</td><td>—</td><td>—</td><td>+</td><td>+</td><td>+</td></tr>
<tr><td>休止角</td><td>+</td><td>—</td><td>—</td><td>—</td><td>—</td><td>—</td></tr>
<tr><td colspan="2">吸水率(饱水率)</td><td>—</td><td>—</td><td>—</td><td>+</td><td>+</td><td>+</td></tr>
<tr><td rowspan="4">力学性质</td><td>压缩性</td><td>+</td><td>+</td><td>+</td><td>+</td><td>—</td><td>—</td></tr>
<tr><td>抗压强度(干、湿)</td><td>—</td><td>—</td><td>+</td><td>+</td><td>+</td><td>+</td></tr>
<tr><td>抗拉强度</td><td>—</td><td>—</td><td>—</td><td>+</td><td>+</td><td>+</td></tr>
<tr><td>抗剪强度(干、湿)</td><td>—</td><td>+</td><td>+</td><td>+</td><td>+</td><td>+</td></tr>
</table>

续表 C

	试验项目	砂性土	黏性土	多年冻土	软岩	半坚硬岩石	坚硬岩石
力学性质	弹性模量(干、湿)	－	－	－	＋	＋	＋
	泊松比	－	－	－	＋	＋	＋
	抗冻性	－	－	－	＋	＋	－
	承载比试验	－	＋	－	－	－	－
	洛杉矶试验	－	－	－	－	＋	＋

注：1 露采剥离物强度应进行切割强度试验。
   2 表中"＋"表示应做项目，"－"表示不需要做项目，"＋ －"表示可根据工程情况选做项目。
   3 洛杉矶试验测定标准条件下粗集料抵抗摩擦、撞击的能力，以磨耗损失（％）表示。粗集料的洛杉矶磨耗损失是集料使用性能的重要指标，洛杉矶试验也是优选石料的一个重要手段。

附录D 井巷围岩岩体质量评价

D.0.1 岩体质量及岩体优劣评价可采用岩体质量系数法,依据下列公式求得岩体质量系数 Z,再按本规范表 B.0.2 确定岩体优劣分级:

$$Z = I \times f \times S \quad \text{(D.0.1-1)}$$

$$S = \frac{R_c}{100} \quad \text{(D.0.1-2)}$$

式中:Z——岩体质量系数;

I——岩体完整性指数,无资料时可用 RQD 值代替;

f——结构面摩擦系数;

S——岩块坚硬系数;

R_c——以 kg/cm^2 为单位的岩块饱和单轴抗压强度值。

D.0.2 岩体质量及岩体优劣评价可采用岩体质量指标 M 法按下式估算,再按本规范表 B.0.3 确定岩体质量分级:

$$M = \frac{R_c}{300} \times RQD \quad \text{(D.0.2)}$$

附录 E 井下水文地质钻探要求

E.0.1 钻孔施工设计应经矿山水文负责人批准后再实施。设计内容应包括对钻孔的各项技术要求和安全措施。

E.0.2 应选择围岩稳固的部位掘进并加固好钻机硐室,应保证钻进中的照明、通信、通风等各项条件。

E.0.3 通往放水硐室的巷道掘进过程中,应随掘进施工进度做好水文地质编录,并应绘制坑道编录图件。对各种含水构造的位置、产状、规模以及涌水量、水压等应进行系统测量并记录。

E.0.4 勘探孔施工前,应由测量人员和施工负责人员现场确认钻孔的位置、方位、倾角和深度。

E.0.5 钻机应安装牢固。钻孔应首先下好孔口管,并应进行耐压试验。开钻前应安装孔口安全闸阀,其抗压强度应大于最大水压。钻孔可能揭露溶洞水、老窿水或地下水压超过 3MPa 时,在揭露含水层前,应安装好孔口防喷装置。

E.0.6 钻进中应做好岩芯的采取、编录和各种现象的观测工作,应记录地层、岩性、地质构造和岩溶的深度。

E.0.7 每钻进 10m 应测量 1 次钻杆并核实孔深,终孔前应再核实孔深并进行孔斜测量。

E.0.8 钻进中遇水时,应记录出水位置,并应测量流量、水压和水温,同时应根据需要采取水样做水质简分析。

E.0.9 存在引发突水事故隐患的停用或报废钻孔,应于停用或报废时进行封堵,并应提交封孔报告。

附录 F 放水试验技术要求

F.0.1 放水试验前应编制放水试验设计,设计中应确定试验方法、各次降深值、放水延续时间和放水量。放水量应与矿坑最大排水能力相适应,应能使矿区范围观测孔产生水位降深达到矿山开采设计水位降深的 20% 以上。放水试验设计应由专业防治水单位承担,并应由矿山防治水负责人组织审查批准。

F.0.2 放水试验工程应包括放水巷、放水硐室、放水钻孔、观测孔、排水系统、水位-水量监测系统等。

F.0.3 放水试验前应做好准备工作,应固定人员,检验校正观测仪器和工具,检查排水设备能力、排水线路和供电设施。

F.0.4 放水方式可分为井下水平或丛状放水孔放水,地面直通式放水孔放水及井下巷道底板垂直放水孔放水。放水钻孔泄水点群位置应集中,放水孔终孔口径不宜小于 91mm,放水孔应装设带有闸阀及压力表的孔口管。当含水层水压高及水量大,可能影响人身安全时,放水孔施工过程中应加装防喷减压装置。

F.0.5 采用井下水平或丛状放水孔放水时,其放水硐室距含水层的安全距离应根据隔水层的稳定性、水压大小,以及含水层和隔水层界线控制的准确程度确定。隔水层稳定、岩层坚固、含(隔)水层界线位置较准确时,可根据水压大小采用 15m~30m 的安全距离;隔水层不稳定、含(隔)水层界线位置不准确时,应根据含(隔)水层界线可能变动的范围,加大其安全距离。

F.0.6 放水前,应在同一时间对地表、井下观测孔和出水点的水位、水压、涌水量、水温和水质进行 1 次统测。

F.0.7 放水试验延续时间可根据具体情况确定。当涌水量、水位难以稳定时,试验延续时间不宜少于 10d~15d。观测时间间隔应满足非稳定流计算的需要。放水工程中心区域的水位或水压应与涌水量同步观测。

F.0.8 观测数据应在观测当日登入台账,并应绘制涌水量-水位历时曲线。

F.0.9 放水试验结束后,应在2周内进行资料整理,并应提交放水试验总结报告。

附录G 水文地质、工程地质、环境地质图的编图及着色原则

G.1 水文地质图

G.1.1 水文地质图可分为矿区水文地质图和区域水文地质图。裂隙充水矿床应编制并提交矿区水文地质图。岩溶裂隙充水及孔隙充水矿床除矿区水文地质图外，还应编制并提交区域水文地质图。

G.1.2 水文地质图应包括水文地质平面图、水文地质柱状图和水文地质剖面图。水文地质平面图应主要说明含水层和隔水层的分布和产状，并应说明地下水的补给、径流和排泄的条件。水文地质柱状图应主要表示含水层和隔水层的上下关系，并应用文字表述各含水层和隔水层的岩性、厚度、导水性、水位、水质、水量等。水文地质剖面图应主要表示矿床的直接充水含水层、间接充水含水层和隔水层的空间分布及其富水性。

G.1.3 水文地质剖面图应标示水文地质勘探线上的水文地质孔及其他地质钻孔、管井、泉水、勘探巷道和老坑及其地下水涌出点，勘探线附近的重要水文地质工程可进行投影表示，投影表示时，宜标示出投影距离。

G.1.4 水文地质剖面图应包括下列内容：

1 地质要素，应包括地层时代及其代号、岩性、地层产状、断层、陷落柱、岩浆岩、矿层及采空区等；岩性及厚大矿体应采用黑色花纹标示在地质孔和水文地质孔的左侧。

2 水文地质要素，应包括地下水水位、预测的导水裂隙带高度、突水系数、勘探巷道及其总涌水量和涌水点的实际涌水量、水质与水量方面的有关数据，以及根据钻孔编录、水文测井和钻孔简

易水文地质观测确定的含水层的位置;带压开采矿床的承压水水位,应表示在水文地质剖面图上;水质、水量方面的有关数据应标示在水文地质孔的右侧;含水层的位置,可标示在钻孔两侧。

  3 颜色要素,应包括黄、棕、蓝、红 4 种颜色,宜用黄色表示松散岩类孔隙含水层、棕色表示碎屑岩类孔隙裂隙含水层、蓝色表示碳酸盐岩类岩溶裂隙含水层、红色表示结晶岩类裂隙含水层;可用有无颜色和颜色深浅表示岩层有无地下水和富水程度,富水程度强时宜用深的颜色表示,富水程度弱时宜用浅的颜色表示;厚大矿体的含水岩组和富水性应按水文地质图的着色原则进行着色。

G.1.5 水文地质平面图和水文地质柱状图含水层的划分及着色原则应与水文地质剖面图一致。

G.1.6 着色水文地质图不可与着色地质图合并。

G.2 工程地质图

G.2.1 工程地质条件中等和复杂的矿床,应编制并提交工程地质平面图和工程地质剖面图。

G.2.2 工程地质平面图应主要说明工程地质岩类、断裂构造及主要结构面分布、工程地质分区、露采矿区的露采范围(境界)及边坡分区。工程地质剖面图应主要表示工程地质岩类(组)和结构面的分布、产状及其工程地质特性。

G.2.3 工程地质剖面图应标示工程地质勘探线上的工程地质孔及其他地质钻孔和已有开拓工程;勘探线附近的重要工程地质工程可进行投影表示,投影表示时,宜标示出投影距离。

G.2.4 工程地质剖面图应包括下列内容:

  1 地质要素,应包括地层时代及其代号、岩性、地层产状、断层、陷落柱、岩浆岩、矿层及采空区等;岩性应用黑色花纹表示在地质孔和工程地质孔的左侧。

  2 工程地质要素,应包括地质孔岩芯采取率、工程地质孔和地质孔 RQD 值、岩石物理力学指标、波速测井岩石强度指数曲线、地下水水位等；各种要素应放在地质孔和工程地质孔的右侧。

3 颜色要素，应包括黄、棕、蓝、红 4 种颜色，宜用黄色表示松散软弱工程地质岩类、棕色表示层状碎屑岩工程地质岩类、蓝色表示可溶性碳酸盐岩工程地质岩类、红色表示块状结晶岩工程地质岩类；可用颜色深浅反映岩石的强度和岩体的质量，宜用颜色由深至浅反映坚硬岩石、半坚硬岩石和软弱岩石 3 级；宜用颜色由深至浅反映岩体质量优、良、中、差、坏 5 级；图面颜色总体色调应清淡。

G.2.5 厚大矿体应用黑色方格花纹表示，其工程地质岩类、岩体强度或岩体的质量应按工程地质图的着色原则进行着色。

G.2.6 工程地质平面图中工程地质岩类的划分和着色原则应与工程地质剖面图一致。

G.2.7 着色工程地质剖面图不可与着色水文地质剖面图合并。

G.3 环境地质图

G.3.1 环境地质质量良好和中等的矿区，可不提交矿区环境地质图；环境地质质量不良的矿区应编制并提交矿区环境地质图。

G.3.2 矿区环境地质图编制应符合下列规定：

1 应以地形地质图作为底图；环境地质质量良好、中等、不良 3 个分区，可分别用浅绿、浅黄、浅粉色表示。

2 已发生和预测可能发生的地质灾害种类和环境地质问题，应在图面中标示；矿坑水排水口、废石场、尾矿库以及对地貌景观、土地资源的影响范围等，应采用黑色的花纹和线条表示。

G.3.3 着色环境地质图不可与着色水文地质图、工程地质图合并。

本规范用词说明

1 为便于在执行本规范条文时区别对待,对要求严格程度不同的用词说明如下:
   1) 表示很严格,非这样做不可的:
      正面词采用"必须",反面词采用"严禁";
   2) 表示严格,在正常情况下均应这样做的:
      正面词采用"应",反面词采用"不应"或"不得";
   3) 表示允许稍有选择,在条件许可时首先应这样做的:
      正面词采用"宜",反面词采用"不宜";
   4) 表示有选择,在一定条件下可以这样做的,采用"可"。

2 条文中指明应按其他有关标准执行的写法为:"应符合……的规定"或"应按……执行"。

引用标准名录

《岩土工程勘察规范》GB 50021
《供水水文地质勘察规范》GB 50027
《工程岩体分级标准》GB 50218
《水利水电工程地质勘察规范》GB 50487
《地表水环境质量标准》GB 3838
《饮用天然矿泉水》GB 8537
《地热资源地质勘查规范》GB/T 11615
《地下水质量标准》GB/T 14848
《地下水资源分类分级标准》GB 15218
《中国地震动参数区划图》GB 18306
《固体矿产勘查报告格式规定》DZ/T 0131
《钻孔压水试验规程》DZ/T 0132
《中小型水利水电工程地质勘察规范》SL 55
《冶金勘察物探规范(试行)》YBJ 41

中华人民共和国国家标准

有色金属矿山水文地质勘探规范

GB 51060-2014

条文说明

制 订 说 明

《有色金属矿山水文地质勘探规范》GB 51060—2014，经住房和城乡建设部 2014 年 12 月 2 日以第 670 号公告批准发布。

本规范制订过程中，编制组进行了国内外矿区水文地质工程地质勘探和矿山防治水水文地质工程地质勘探的现状及发展趋势的调查研究；总结了我国水文地质工程地质条件复杂的有色金属矿山，以及同类条件的其他固体矿山水文地质工程地质勘探和矿山防治水的实践经验；并就本规范如何反映新经济体制下商业性地质工作的矿区水文地质工程地质勘探工作的新要求，水文地质工程地质勘探新理论、新技术、新方法的应用，矿区环境地质调查与评价的工作程度、矿山防治水与地下水资源管理、矿区环境保护的协调关系等重要问题，广泛地征求了有关勘探、设计、院校、科研单位和专家的意见。

为便于广大设计、施工、科研、学校等单位有关人员在使用本规范时能正确理解和执行条文规定，《有色金属矿山水文地质勘探规范》编制组按章、节、条顺序编制了本规范的条文说明，对条文规定的目的、依据以及执行中需注意的有关事项进行了说明，还着重对强制性条文的强制性理由做了解释。但是，本条文说明不具备与规范正文同等的法律效力，仅供使用者作为理解和把握规范规定的参考。

目 次

1 总 则 …………………………………………………（91）
3 矿区水文地质勘探 ……………………………………（94）
　3.1 勘探类型划分 ……………………………………（94）
　3.2 勘探程度要求 ……………………………………（95）
　3.3 勘探工程布置原则及工程量 ……………………（96）
　3.4 勘探技术要求 ……………………………………（97）
　3.5 矿坑涌水量计算 …………………………………（100）
　3.6 矿山水资源综合利用 ……………………………（100）
4 矿区工程地质勘探 ……………………………………（102）
　4.1 勘探类型划分 ……………………………………（102）
　4.3 勘探工程布置原则和工程量 ……………………（102）
　4.4 勘探技术要求 ……………………………………（103）
　4.5 矿区工程地质评价 ………………………………（109）
5 地下水资源与环境地质评价 …………………………（110）
　5.1 区域地下水资源评价 ……………………………（110）
　5.2 矿区环境地质调查与评价 ………………………（110）
6 矿山防治水水文地质工程地质勘探 …………………（111）
　6.1 一般规定 …………………………………………（111）
　6.2 矿床疏干水文地质工程地质勘探 ………………（111）
　6.3 注浆防渗帷幕水文地质工程地质勘探 …………（113）
　6.4 防渗墙水文地质工程地质勘探 …………………（114）
　6.5 井下避水工程水文地质工程地质勘探 …………（114）
　6.6 老窿水防治水文地质工程地质勘探 ……………（114）
　6.7 矿区地表水防治水文地质工程地质勘探 ………（115）

7 其他专项水文地质工程地质勘查 ·················· (118)
7.1 岩溶矿区地面塌陷防治水文地质工程地质勘查········ (118)
7.2 竖井水文地质工程地质勘查 ·················· (119)
7.3 地温勘查 ································· (121)
7.4 地应力场初步调查 ························· (122)
7.5 矿区老钻孔处理 ··························· (123)
7.6 地下水及地表水监测 ······················· (123)

1 总 则

1.0.1 本规范为矿产资源开发阶段有关矿山建设标准体系的组成部分。主要规定有色金属矿产资源开发阶段,矿山防治水水文地质工程地质勘探工作要求。随着地质找矿投融资体制的变革,大多数矿床在完成详查工作后即完成了找矿阶段的勘查工作。后续的勘查工作均由矿产开发者来投资完成。为了适应这些体制转变,也为了更好地与前期地质工作的衔接,本规范仍涵盖了矿区勘探阶段的水文地质工程地质工作要求,并在其中针对有色金属矿床的特点做出新规定。

1.0.2 矿区水文地质工程地质勘查和环境地质调查评价与矿产地质勘查工作阶段相适应,分为普查、详查和勘探三个阶段。本条所说的矿区水文地质工程地质勘探,是指相应于地质勘探阶段的水文地质工程地质勘探阶段及其相应的勘查工作;而所说的矿山防治水水文地质工程地质勘探是指勘探阶段之后,为满足矿山防治水工程设计所需的水文地质工程地质勘探工作。由于矿山防治水方案不仅取决于矿区水文地质条件,还与矿床开采方式(露天或坑下)、开拓方案及采矿方法(保护顶板或不保护顶板)等有关,一般在矿区地质勘探报告提交后,在矿山可行性研究阶段或初步设计阶段,经过技术经济比较才能确定。水文地质条件复杂或水文地质条件中等、工程地质条件复杂的矿区,地质勘探阶段的水文地质工程地质工作通常还不能完全满足矿山防治水工程设计的需要,往往在矿山设计之前还需补充专门水文地质工程地质勘探。因此,矿山防治水水文地质工程地质勘探主要指勘探阶段之后为满足矿山防治水工程设计需要所进行的专门水文地质工程地质勘探工作。

本规范适用于有色金属矿产详查阶段之后,水文地质条件复杂或水文地质条件中等、工程地质条件复杂矿区水文地质工程地质勘探和矿山防治水水文地质工程地质勘探。有色金属矿产地质普查、详查阶段的水文地质工程地质勘查工作,以及本条规定之外的水文地质工程地质条件一般的有色金属矿产勘探阶段的水文地质工程地质勘探工作仍执行相关矿种地质勘查规范和现行国家标准《矿区水文地质工程地质勘探规范》GB 12719 的要求。

有关水文地质条件、工程地质条件复杂程度划分的规定见本规范第 3.1.3 条和第 4.1.2 条。

1.0.3 国家安全监管总局在《国家安全监管总局关于进一步加强金属非金属矿山防治水工作的意见》(安监总管一〔2010〕75 号)中指出,近年来,由于部分矿山企业存在对矿区水文地质工作不重视,水文地质情况不清,防治水工作制度不健全,安全生产尤其是防治水责任不落实等问题,导致矿山水害事故时有发生,给人民群众生命财产安全造成重大损失,同时也对区域地下水环境造成不同程度的破坏。该文件要求加强矿山水害防治基础工作,明确要求矿山建设前要进行专门的水文地质勘查。

水文地质条件复杂或水文地质条件中等、工程地质条件复杂的矿山,矿山防治水问题突出,关系到矿山安全生产和周围环境保护。为了防范矿山重特大水害事故发生,避免周围环境遭到污染和破坏,要求矿山设计之前,应进行矿区水文地质工程地质勘探,如勘探阶段的工作程度不能满足矿山防治水工程设计需要,应补充专门矿山防治水水文地质工程地质勘探。

1.0.4 本条对水文地质工程地质勘探的任务和程度做出规定。

1 "详细查明"是地质、水文地质工程地质勘查标准体系表述勘探阶段工作程度的规范用语。相应于普查阶段用"大致查明",详查阶段用"基本查明",按规范要求完成勘探阶段相应的工程量,其工作程度就为"详细查明"。

本条关于环境地质方面勘探基本任务的要求比以往相关规范

要求高一些。现行国家标准《矿区水文地质工程地质勘探规范》GB 12719—91关于环境地质方面勘探基本任务的要求是"评述矿区的地质环境质量,预测矿床开发可能引起的主要环境地质问题,并提出防治的建议"。近年来,随着科学发展观的倡导,矿山开采的环境影响问题和周围生态环境的保护日益受到重视。今后对有色金属矿山水文地质工程地质勘探在环境地质方面的要求,仅"评述"矿区的地质环境质量是不够的。因此,本条要求"应调查评价矿区的地质环境质量,预测矿床开发可能引发的主要环境地质问题并提出防治的建议"。

2 "进一步查明"是相对于勘探阶段"详细查明"的更高的勘查工作程度要求。矿山防治水水文地质工程地质勘探的任务是在勘探阶段工作的基础上,针对具体防治水工程设计的需要查明与矿山防治水工程有关的水文地质工程地质条件,以及查明矿山设计需要而勘探阶段尚未查明的其他水文地质工程地质问题。

3 矿区水文地质勘探

3.1 勘探类型划分

3.1.1 不同勘探类型的矿床,其应着重查明的水文地质问题、勘探工程布置原则及工程量要求是有差别的。矿床充水类别划分是勘探类型划分的基础。根据主要充水含水层的储水空间特征划分矿床充水类别,是为了对不同类别的充水矿床在勘探时应着重查明的水文地质问题、工程布置原则及工程量分别做出规定。

3.1.2 根据主要充水含水层与矿体的接触关系、相对位置划分充水方式,是为了明确不同充水方式的矿床应该着重查明的问题和报告编写中需要阐明的内容。

直接充水的矿床,矿床主要充水含水层与矿体直接接触,地下水直接进入矿坑。

间接充水的矿床可分为顶板间接充水的矿床和底板间接充水的矿床。

顶板间接充水的矿床主要充水含水层位于矿层冒裂带之上,矿层与主要充水含水层之间有隔水层或弱透水层,地下水通过构造破碎带、导水裂隙带或弱透水层进入矿坑。

底板间接充水的矿床主要充水含水层位于矿层之下,矿层与主要充水含水层之间有隔水层或弱透水层。承压水通过底板薄弱地段、构造破碎带、弱透水层或导水的岩溶陷落柱进入矿坑。

上述隔水层是个相对的概念,一般将钻孔单位涌水量小于 $0.001L/(s·m)$ 或钻孔压水试验透水率小于 $1Lu$ 的岩层视为隔水层。

3.1.3 根据与主要矿体充水相关的水文地质条件及矿产开采可能引发塌陷、沉降情况,将各类充水矿床勘探的复杂程度划分为三型,是为了确定不同复杂程度的矿床的工程量。一个矿床的条件可能涉及全部的划分依据,也可能仅涉及其中的几条,如果仅满足一条就划分为水文地质条件复杂矿床,会增加很多的工作量,因此规定满足三条及以上时,即可以确认该矿床的复杂程度。

3.2 勘探程度要求

3.2.2 本条中的"详细查明"是矿区水文地质勘探程度的规范用语,其具体含义见本规范第1.0.4条的条文说明。

水文地质条件复杂或水文地质条件中等、工程地质条件复杂的矿区,通常都赋存有若干含水层和隔水层,其岩性、厚度、产状、分布范围、埋藏条件,以及含水层的富水性、矿床顶底板隔水层的稳定性均须逐一查明。矿区的若干含水层中,各含水层对矿床充水的作用往往有较大的差别,对含水层的勘探程度要求也应该有所不同。因此本条对矿床主要充水含水层提出了更高的勘探程度要求,要求"着重"也即重点查明矿床主要充水含水层的富水性、渗透性、水位、水质、水温、动态变化以及地下水径流场的基本特征,确定矿区水文地质边界及其特征。

3.2.5、3.2.6 含水层强弱按含水层的富水性和渗透性可以分为若干等级。现行国家标准《矿区水文地质工程地质勘探规范》GB 12719—91按钻孔单位涌水量(q)或天然泉水流量(Q)把含水层富水性划分为四级:

弱富水性:$q<0.1\text{L/(s}\cdot\text{m)}$,或$Q<1.0\text{L/s}$;

中等富水性:$0.1\text{L/(s}\cdot\text{m)}<q\leqslant 1.0\text{L/(s}\cdot\text{m)}$,或$1.0\text{L/s}<Q\leqslant 10.0\text{L/s}$;

强富水性:$1.0\text{L/(s}\cdot\text{m)}<q\leqslant 5.0\text{L/(s}\cdot\text{m)}$,或$10.0\text{L/s}<Q\leqslant 50.0\text{L/s}$;

极强富水性:$q>5.0\text{L/(s}\cdot\text{m)}$,或$Q>50.0\text{L/s}$。

现行国家标准《水利水电工程地质勘察规范》GB 50487—2008把岩土体渗透性按渗透系数(K)或透水率(q)分为六级:

极微透水:$K<10^{-6}$cm/s,或 $Q<0.1$Lu;
微透水:10^{-6}cm/s$\leqslant K<10^{-5}$cm/s,或 0.1Lu$\leqslant q<1$Lu;
弱透水:10^{-5}cm/s$\leqslant K<10^{-4}$cm/s,或 1Lu$\leqslant q<10$Lu;
中等透水:10^{-4}cm/s$\leqslant K<10^{-2}$cm/s,或 10Lu$\leqslant q<100$Lu;
强透水:10^{-2}cm/s$\leqslant K<1$cm/s,或 $Q\geqslant 100$Lu;
极强透水:$K\geqslant 1$cm/s,或 $Q\geqslant 100$Lu。

"深部"是指矿层与含(隔)水层多层相间的矿床中,最下面的矿层以下的部位。

条文中的"强含水层"与本规范第3.2.6条中的"富水性中等或强的孔隙含水层"是一个"强、中、弱"的相对概念,这里的"强"包括"强"和"极强"。在矿区水文地质勘探实践中,可参照上述富水性、透水性分级标准判定。在矿区水文地质工程地质勘探中通常按现行国家标准《矿区水文地质工程地质勘探规范》GB 12719分级,在防治水水文地质工程地质勘探中通常按现行国家标准《水利水电工程地质勘察规范》GB 50487分级。

3.2.8 矿区水文地质勘探的任务主要是查明矿床开采条件,勘探工程一般只控制矿体之外一定的范围和一定的深度。地下热水和有害气体的分布、来源及控制因素往往超出矿区水文地质勘探的范围。矿区勘探阶段对地下热水和有害气体的勘查不能也达不到"详细查明"的程度,对其不同的勘查内容只能按相当于详查阶段的"基本查明"和普查阶段的"大致查明"的勘查工作程度来要求。如果矿区地下热水作为地热资源开发,需进行专门的地热资源勘探,并执行相应的勘探规范要求。

3.3 勘探工程布置原则及工程量

3.3.2 表3.3.2-1中的水文地质剖面数量规定考虑了两个控制因素,即剖面线间距和剖面条数;原因是由于矿区水文地质条件复杂程度不同和矿区面积大小的差异,采用单一剖面线间距或单一剖面条数的规定有可能造成剖面条数过多而增加勘探工程量,也可能形成剖面数量太少而查不清矿区水文地质条件。因此,设计水文地质剖面时,应根据矿区水文地质复杂程度和矿区面积大小,科学合理地设计勘探工程量。

3.4 勘探技术要求

3.4.1 第3款中的"全面搜集",在空间范围上不仅应注意收集本区的有关资料,也应注意收集周边和相邻地区的资料。从工作阶段划分的角度,注意收集已经形成的各类相关资料,包括正式出版物资料、其他专业机构完成的相关调查资料,本区以往积累的资料,不同时期的航(卫)片资料等。"充分利用"指所形成的测绘成果中应反映以往工作的成果,以及利用有关水文因素(如泉流量、地下水位等)的历史变化,分析、论证调查区的水文地质条件。

第4款中的"全面收集"指收集资料时注意收集的内容要齐全,包括地表水、地下水的水位、流量、水质、水温资料,地表站点的监测和采样分析数据、钻孔和水井的测定数据、主要中段及矿山合计的涌水量和水质分析等,以及气温、降雨、蒸发、相对湿度等气象资料。水位水量和气象资料的观测间隔和观测年限应满足项目要求。

3.4.2 矿区水文地质物探方法很多,主要物探方法的应用范围和适用条件见表1。

表1 主要物探方法的应用范围和适用条件

方法名称			应用范围	适用条件
电法勘探	电阻率法	电阻率剖面法	探测地层岩性在水平方向的电性变化,解决与平面位置有关的问题	被测地质体有一定的宽度和长度,电性差异显著,电性界面倾角大于30°;覆盖层薄,地形平缓
		电阻率测深法	探测地层岩性在垂直方向的电性变化,解决与深度有关的地质问题	被测岩层有足够厚度,岩层倾角小于20°;相邻层电性差异显著,水平方向电性稳定;地形平缓

续表1

	方法名称	应用范围	适用条件
电法勘探	电阻率法 / 高密度电阻率法	探测浅部不均匀地质体的空间分布	被测地质体与围岩的电性差异显著，其上方没有极高阻或极低阻的屏蔽层；地形平缓，覆盖层薄
	充电法	用于钻孔或水井中测定地下水流向流速，测定滑坡体的滑动方向和速度	含水层埋深小于50m，地下水流速大于1m/d；地下水矿化度微弱；覆盖层的电阻率均匀
	自然电场法	判定在岩溶、滑坡及断裂带中地下水的活动情况	地下水埋藏较浅，流速足够大，并有一定的矿化度
	激发极化法	寻找地下水，测定含水层埋深和分布范围，评价含水层的富水程度	在测区内没有游散电流的干扰，地下水有一定的矿化度
电磁法勘探	频率测深法	探测断层、裂隙、地下洞穴及不同岩层界面	被测地质体与围岩电性差异显著，覆盖层的电阻率不能太低
	瞬变电磁法	可在基岩裸露、沙漠、冻土及水面上探测断层、破碎带、地下洞穴及水下第四系厚度	被测地质体相对规模较大，且相对围岩呈低阻；其上方没有极低阻屏蔽层；没有外来电磁干扰
	可控源音频大地电磁测探法	探测中、浅部地质构造	被测地质体有足够的厚度及显著的电性差异，电磁噪声比较平静，地形开阔、起伏平缓
	探地雷达	探测地下洞穴、构造破碎带、滑坡体，划分地层结构	被测地质体上方没有极低阻的屏蔽层和地下水的干扰，没有较强的电磁场干扰

续表1

方法名称		应用范围	适用条件
地震勘探	反射波法	探测不同深度的地层界面	被探测地层与相邻地层有一定的波阻抗差异
	折射波法	探测覆盖层厚度及岩体埋深	被测地层的波速应大于上覆地层波速
	瑞雷波法	探测覆盖层厚度和分层,探测不良地质体	被测地层与相邻地层之间、不良地质体与围岩之间,存在明显的波速和波阻抗差异
	层析成像	探测溶洞、地下河、断裂破碎带等	被探测体与围岩有明显的物性差异,电磁波CT要求外界电磁波噪声干扰小
综合测井	电测井	划分地层,区分岩性,确定软弱夹层、裂隙破碎带的位置和厚度;确定含水层的位置、厚度;划分咸、淡水分界面;测定地层电阻率	无套管,有井液的孔段进行
	声波测井	区分岩性,确定裂隙破碎带的位置和厚度;测定地层的孔隙度;研究岩土体的力学性质	无套管,有井液的孔段进行
	放射性测井	划分地层,区分岩性,鉴别软弱夹层、裂隙破碎带;确定岩层密度、孔隙度	无论钻孔有无套管及井液均可进行
	电视测井	确定钻孔中岩层节理、裂隙、断层、破碎带和软弱夹层的位置及结构面的产状,了解岩溶洞穴的情况	无套管和清水钻孔中进行

3.4.5 抽水试验水位波动程度评价应以抽水降深为对比基数。以往相关规范的对比基础为平均水位。由于不同矿区地下水位差距非常大，利用地下水位平均值作为水位波动评价基础不科学。特别是当平均水位接近零米标高时，可能引起混乱。

3.4.6 地下水动态急剧变化指动态参数变动幅度与平常相比增大30％以上的情况。

3.5 矿坑涌水量计算

3.5.1 本条规定了涌水量计算与矿区水文地质条件的关系。正确认识水文地质条件，要求水文地质概念模型应体现水文地质条件的各方面特点，各项计算参数应是在试验基础上获得的定量资料。勘探设计时初步确定矿坑涌水量计算方案，指决定是否采用数值法以及是否按非稳定流方式计算矿坑涌水量，以便于针对计算方法的需要调整勘探工程的布置和进行相应种类的试验。

3.5.5 数值法是当前考虑气象水文、含水层空间结构、地下水补径排条件、边界性质变化以及人类活动影响等因素最全面最系统的地下水评价方法。勘探阶段所获取的水文地质资料也已满足建立地下水数值模型的要求，所以勘探阶段要求利用数值法计算矿坑涌水量。

数值模型能否真实刻画地下水系统的实际情况，有待于识别和验证。地下水长序列的动态资料是地下水系统长期接受外部环境影响，经系统内部调节所反映出来的信息。群孔抽水试验是对地下水系统的短期激发，地下水系统的水位变化是系统对突发因素变化的响应。所以地下水数值模型通过长系列动态资料和群孔抽水试验资料的识别和验证，能够较好地反映地下水系统的客观实际，使矿坑涌水量预测结果更接近于实际。

3.6 矿山水资源综合利用

3.6.3 地下热水热储层一般赋存在矿体（层）下面，且埋藏较深，而为有色金属矿产开发所进行的矿区水文地质勘探一般只控制到矿体底部一定的深度。矿区勘探阶段不可能专门为地下热水勘查投入过多的工程量，对地下热水的勘查程度只能达到相当于专门地热资源地质勘查的普查阶段或详查阶段的程度。因此，矿区内有地下热水时，水文地质勘探阶段只要求圈定热异常范围，大致查明热水的形成条件，估算热水量，测定其化学成分，分析热水开发利用前景。

4 矿区工程地质勘探

4.1 勘探类型划分

4.1.1 根据岩体结构类型将矿区工程地质勘探进行分类,是为了说明不同类型的岩体在勘探时应着重查明的问题。矿区中通常是多种类型岩体共存的,勘探时应全面综合考虑。

以往矿区工程地质勘探规范将矿区工程地质勘探分为松散、软弱岩类,块状岩类,层状岩类和可溶盐岩类四种类别。从多年来的矿区工程地质勘探中,发现碎裂岩类具有与其他四种岩类不同的工程地质特性;因此本规范在矿区工程地质勘探分类中增加了碎裂岩类工程地质勘探类别。此外,膨胀岩类工程地质问题具有特殊性,工程地质条件一般较复杂;本规范将其与可溶盐岩类一起列为一种类别。

碎裂岩可由各种岩石破碎而成,主要在刚性岩石中发育,以石英质岩石中尤为常见。张性断层带中,碎块多呈棱角状,压性断层带中,碎块多为透镜状,也可能有不同程度的圆化。碎裂岩完整性差、强度较低,呈弹塑性介质,稳定性差,富水性及透水性较好。碎裂岩类不同于其他岩类。

膨胀岩的性状具有似岩非岩、似土非土的特点,而且与水的关系极其密切,亲水性异常强烈。由于其含有大量亲水矿物,湿度变化时有较大体积变化,变形受约束时产生较大内应力。膨胀岩属于软岩中的特殊类型。

4.3 勘探工程布置原则和工程量

4.3.2、4.3.3 以往矿区水文地质工程地质勘探规范对矿区工程地质勘探工程量不区分井下开采和露天开采,统一规定。根据多年的矿区工程地质勘探实践经验,井下开采与露天开采工程地质勘探程度要求不同,勘探工程布置原则有区别,工程量也不能完全一样。因此,本规范对井下开采和露天开采矿区工程地质勘探工程量分别做出规定。另外,多年来矿区工程地质勘探实践中引进了一些新技术,如波速测试、孔内电视成像、膨胀试验等,这些新技术的应用已经比较成熟,因此本规范在对矿区工程地质勘探工程量规定中提出采用这些勘探手段的要求。

4.4 勘探技术要求

4.4.1 工程地质测绘中,结构面分级可参考表2。

表2 结构面分级表

分级	特征			
	结构面形式	规模		对岩体稳定性影响
		走向	倾向垂深	
Ⅰ	区域断裂带	延伸达数千米以上	至少切穿1个构造层	控制区域稳定,应着重研究断裂力学机制,区域构造应力场方向及断裂带的活动性
Ⅱ	矿区内主要断裂或延深较稳定的原生软弱层	数千米	数百米	控制山体稳定,应着重研究结构面的产状、形态、物理力学性质
Ⅲ	矿区内次一级断裂及不稳定的原生软弱层及层间错动带	数百米以内	数十米至数百米	影响岩体稳定,应着重研究可能出现的滑动面及滑动面的力学性质
Ⅳ	节理裂隙、层理、劈理	延展有限	无明显深度及宽度	破坏岩体完整性,影响岩体的力学性质及局部稳定性,研究其节理、裂隙发育组数、密度
Ⅴ	显微尺度的节理劈理	—	—	降低岩石强度

岩体结构类型划分可参考表3。

表 3 岩体结构分类表

结构类型		亚类		地质背景	完整状态		结构面特征	结构体特征		水文地质特征
名称	代号	名称	代号		结构面间距(cm)	完整性系数		形态	强度(MPa)	
整体块状结构	Ⅰ	整体结构	I₁	岩性单一，构造变形轻微的巨(极)厚层沉积岩、变质岩和火成岩体	>100	>0.75	Ⅳ、Ⅴ级结构面存在，无或偶见Ⅲ级结构面，组数一般不超过3组，而且延展性极差，多呈闭合、粗糙状态，无充填或夹少量碎屑，tanφ≥0.60	岩体呈整体状态，或由巨型块状体所组成	>60	地下水作用不明显
		块状结构	I₂	岩性单一，构造变形轻~中等的厚层沉积岩、变质岩和火成岩体	50~100	0.35~0.57	以Ⅳ、Ⅴ级结构面为主，少见Ⅱ、Ⅲ级结构面，结构面有一定的结合力，一般发育有2组~3组，以两组高角度剪切节理为发育。结构面多闭合、粗糙或夹碎屑或附薄膜，一般tanφ=0.40~0.60	长方体、立方体、菱形块体以及占多数的多角形块体	>30，一般均在60以上	裂隙水甚为微弱，沿面可以出现渗水、滴水现象，主要表现对坚硬岩石的软化

· 104 ·

类别	亚类	岩体结构类型	主要地质特征			结构面特征	岩体形态		岩体变形破坏特征
II 层状结构	II₁	层状结构	主要指构造变形轻~中等的,中~厚(单层厚度大于30cm)的层状岩体	30~50	0.30~0.60	以III、IV级结构面(层面、片理、节理)为主,亦存在II级结构面(原生软弱夹层、层间错动)延展性较好,一般有2~3组结构面,层面结构面多为显著,结构面间合力较差;结构面间的摩擦系数一般为0.30~0.50	长方体、板体、块体和柱状体	>30	岩层的组合和变形程度决定其不同的水文地质结构,地下水的贮存情况各不相同。存在地下水渗透压力和地下水的软化、泥化作用问题
	II₂	薄层状结构	同II₁,但层厚小于30cm,在构造变动作用下表现为相对强烈的褶皱(或褶曲)和层间错动	<30	<0.40	层理、片理发育,III级、II级结构面如原生软弱夹层、层间错动和小断层不时出现,结构面多为泥膜、碎屑和泥质物所充填,一般结合力差,$\tan\varphi\sim0.30$	组合板状体或薄板状体	一般 30~10	

续表 3

| 结构类型 | | 亚类 | | 地质背景 | 完整状态 | | 结构面特征 | 结构体特征 | | 水文地质特征 |
名称	代号	名称	代号		结构面间距(cm)	完整性系数		形态	强度(MPa)	
碎裂结构	Ⅲ	镶嵌结构	Ⅲ₁	一般发育于脆硬岩层中的压碎岩带，节理、劈理组数多，密度大	<50，一般为数厘米	<0.35	以Ⅳ、Ⅴ级结构面（节理、劈理及隐微裂隙）为主，结构面组数多（均多于3组），密度大，但其延展性甚差。结构面粗糙，闭合无充填或夹少量碎屑，tan φ≈0.40～0.60	形态不一，大小不同，棱角显著彼此咬合	>60	本身即为统一含水体，导水性能变化大，但渗水亦有一定的渗压力
		层状碎裂结构	Ⅲ₂	软硬相间的岩石组合，如复理石建造，火山岩建造和变质岩建造中，通常有一系列近于平行	<100	<0.40	Ⅱ、Ⅲ、Ⅳ级结构面均发育，Ⅱ级、Ⅲ级（软弱夹层和各种成因类型的破碎带）尤为突出，在岩体中大致平行分布，起着控制性作用，其摩擦系数一般为0.20～0.40；相对坚硬完整的	软弱破碎带以碎屑、碎块、岩粉、泥为主，骨架部分岩	骨架岩体中岩块强度在30上下或高些	亦具层状水文地质结构特性，软弱破碎带两侧地下水呈带状渗流，同时对软弱结构面（包括破碎带）

106

	行的软弱破碎带,它们与完整性较好的岩体相间存在	软弱破碎带相间存在的骨架岩体中,以Ⅳ、Ⅴ级结构面为主,一般 tanφ≈0.40		体为大小不等、形态不同的岩块		的软化、泥化作用甚为明显
Ⅲ₃ 碎裂结构	岩性复杂,构造变动剧烈,断裂发育,亦包括风化作用下的弱风化带	Ⅱ、Ⅲ、Ⅳ、Ⅴ级结构面均发育,彼此交切结构面多数不下4组～5组;或成为泥夹碎屑或结构面多被充填,或为矿物薄膜、擦痕镜面多见,结构面光滑程度不等,形态不一。有的破碎带中黏土矿物成分甚多。结构面的摩擦系数一般为0.20～0.40	<50	碎屑和大小不等、形态不同的岩块	岩块中隐微裂隙甚多,易破碎,强度<30	地下水各方面作用均为显著,不仅有软化、泥化作用,而且由于渗流还可能引起化学管涌和机械管涌现象
			<0.30			

续表 3

结构类型		亚类		地质背景	完整状态		结构面特征	结构体特征		水文地质特征
名称	代号	名称	代号		结构面间距(cm)	完整性系数		形态	强度(MPa)	
散体结构	Ⅳ	—	—	构造变动剧烈,一般为断层破碎带,岩浆岩侵入接触破碎带以及强风化带	—	<0.20	断层破碎带,接触破碎带中一般均具有数条滑动面,带中节理、劈理密集而呈无序状。整个破碎带(包括剧烈~强烈风化带)呈块夹泥的松散状态或泥包块的松软状态。摩擦系数一般在0.20上下	泥、岩粉、碎屑、碎块、碎片等	岩块的强度无实际意义	泥质物多,所以破碎带起隔水作用,使地下水沿破碎带两侧富集,同时,地下水可以促使破碎带物质软化、泥化、崩解、膨胀,还可产生化学管涌和机械管涌

矿体主要围岩的风化程度划分可参考表4。

表4 岩体风化程度野外鉴定表

分带	鉴 定 特 征
强风化带	锤击浊音易粉碎,岩石全部褪色,多数矿物黏土化,裂隙面明显,且黏土化,岩芯块度5mm～15mm,多角砾～岩块(片)状,为团块～碎裂结构
弱风化带	岩石表面和裂隙面有风化迹象,部分矿物风化变质,颜色变浅,有少量裂隙将岩体切割成20cm～50cm块体,不易击碎,基本保持母岩结构

4.4.2 钻孔工程地质编录中RQD值的计算,岩芯长度统计时,小于10cm岩芯若为钻进过程中机械破碎,则应上、下对接,对接后的长度大于10cm时应参与计算;当钻头内径小于54.1mm时,RQD值作适当降低,根据以往经验可降低20%～50%。

4.4.4 以往矿区工程地质勘探规范对工程地质钻探岩芯采取率没有量化的具体规定。本规范根据矿区工程地质勘探的需要和钻探技术的发展,对工程地质钻探岩芯采取率提出较高的要求。当前钻探技术比过去有非常大的进步,双管及三重管钻具、金刚石钻头、绳索取芯等先进技术广泛应用到钻探中,只要精心施工,岩芯采取率是可以达到要求的。

4.5 矿区工程地质评价

4.5.4 本条中坚硬、半坚硬岩类是依据岩石单轴极限抗压强度划分的。按岩石单轴极限抗压强度(R)将岩石分为:$R \geqslant 60$MPa为坚硬岩类,60MPa$>R \geqslant 30$MPa为半坚硬岩类,$R<30$MPa为软弱岩类。

5 地下水资源与环境地质评价

5.1 区域地下水资源评价

5.1.2 由于矿山所处的地理位置不同,其区域水文地质研究程度有很大的差别。对于区域地下水资源评价也很难要求达到统一的评价方法和精度标准。所以在水量计算上要求利用水均衡法计算,根据矿山所在区域水文地质研究程度,选择其他计算方法进行对比分析。在计算精度要求上不应低于当地区域水文地质工作程度。

5.2 矿区环境地质调查与评价

5.2.1 环境地质调查是与水文地质工程地质测绘同时进行的,即水文地质工程地质测绘时,纳入调查环境地质方面的内容,其精度与水文地质工程地质测绘一致。

5.2.3、5.2.4 矿区水文地质工程地质勘探阶段的环境地质评价是利用水文地质工程地质勘探取得的资料,从环境地质角度进行初步评价,指出可能引起的环境地质问题。对于发现的环境地质问题需要进一步评价时,需进行专项勘察。矿区水文地质工程地质勘探阶段的环境地质评价,不能替代矿区专项环境评价、地质灾害危险性评估、矿山环境恢复治理和土地复垦评价。环境评价、地质灾害危险性评估、矿山环境恢复治理和土地复垦均有现行的规范,进行专项勘察时执行相应的规范要求。

第5.2.3条第4款中关于地表、地下水水质标准的Ⅰ、Ⅱ、Ⅲ类,既指现行国家标准《地表水环境质量标准》GB 3838中的地表水Ⅰ、Ⅱ、Ⅲ类标准,也指现行国家标准《地下水质量标准》GB/T 14848中的地下水Ⅰ、Ⅱ、Ⅲ类标准。

6 矿山防治水水文地质工程地质勘探

6.1 一般规定

6.1.3、6.1.4 矿床疏干开采过程中排水、供水、生态环保三者之间的矛盾与冲突日益严重。在保证矿井安全生产、满足水资源需求以及减缓矿区生态环境恶化的前提下使矿区地下水系统处于合理的动平衡状态，要求矿山开发设计中将矿区的排水、供水、生态环保三个方面统筹规划，统一管理。排水、供水、生态环保三位一体优化结合不仅是一项水资源综合利用和生态环保技术，而且也是一项大水矿山防治水技术。矿山防治水水文地质勘探应尽可能考虑并满足矿山排水、供水、生态环保三位一体优化结合管理评价的要求。

排水、供水、生态环保三位一体优化结合管理评价在矿区地下水流数值模拟基础上，运用运筹学的数学规划理论和方法，在保证矿井安全生产和生态环境质量等约束前提下，寻求满足供给矿区和周围地区一定数量水资源，优化经济效益目标的水资源供给和分配方案。在技术上可同时全面系统地考虑各工程设施所形成的地下水渗流场之间的相互干扰和影响，从而提高了预测、管理和评价工作的精度。

6.2 矿床疏干水文地质工程地质勘探

6.2.3 水文地质钻探和抽水试验是获取定量水文地质参数最有效的技术手段。每个勘探矿区都施工过大量的其他钻孔（如探矿孔），对这些钻孔进行详细水文地质编录及综合分析同样重要。

井下放水试验中要求的"具备条件"，主要指已经形成了必要的开拓巷道，并具备了与放水量相适应的排水设施。

6.2.4 孔隙含水层为主要疏干对象时,为了控制强富水区的空间分布,应重点查明古河道的分布及变迁规律、河床沉积叠置规律、冲洪积扇的边界及扇轴的位置和走向、滨海平原岸线变迁规律、埋藏沙坝的位置和分布以及咸、淡水分界面等。定量查清含水层及非含水层岩性特征及颗粒组成。

在拟进行疏干的矿区,由于多数抽水试验孔均可能为后续矿山建设阶段所利用,因此抽水试验孔数可以适当增加。勘探工程间距应根据矿床规模和含水层类型的不同而有所区别。较大矿床或冲积平原型含水层取较大值,小型矿床或山间河谷型含水层取较小值。

疏干沉降主要由黏性土释水引起。对疏干沉降评价的要求取决于疏干影响范围地表上、下是否存在建(构)筑物,及其对地面沉降的敏感程度。含水层厚度大于10m,上覆弱透水层厚度大于30m时应评价疏干沉降的影响。疏干影响范围对地面沉降较敏感时,疏干沉降评价不应受含水层厚度限制。疏干影响范围没有建(构)筑物时,可不必评价。

6.2.5 岩溶含水层的工程控制间距,对于较大矿床或风化带(包括古风化带)控制为主的岩溶含水层取较大值,小型矿床及接触带或构造带控制的岩溶含水层取较小值。裂隙含水层大多相对简单,很少进行专门疏干。如果需要专门疏干,勘探工程间距可参考岩溶含水层工程间距的规定。

矿山疏干与一般地下水水源地抽水不同。矿山疏干深度往往很大,含水层孔隙度通常随深度的增加而不断降低。一般的抽水试验难以控制这种变化及其对涌水量的长期影响。分层采取孔隙度试样是一个辅助方法。

6.2.6 抽水试验组数包括疏干影响区内以往已经完成的抽水试验。要求单孔抽水试验孔在疏干影响区内均匀分布的目的是了解不同区域含水层导水性的差异,及其对矿坑充水的影响。

矿床拟采用地表疏干时,群孔抽水的抽水主孔的井型、井径、结构等应与将来生产中可能采用的疏干井一致。

对于孔隙含水层,以及有多层含水层的,应适当增加抽水时间以反映储存量的释放以及越流等因素的影响。有些导水性极好的岩溶含水层可能很快就会使降落漏斗达到稳定状态。在这种情况下可以主含水层中各观测孔水位趋于稳定来控制抽水时间。

6.2.7 本条是特殊情况下的勘探要求。边坡或采场稳定性差,工程地质条件复杂的矿床涌水量不一定非常大,涌水量不一定是勘探重点。在这种条件下,应按复杂类型工程地质勘察的网度布置勘探钻孔,各孔均进行抽水或压水试验。水文地质和工程地质条件勘察应更紧密地结合。

6.3 注浆防渗帷幕水文地质工程地质勘探

6.3.1 防渗帷幕应建在地下开采错动界线或露天矿最终境界之外的矿区主要进水通道上。从矿区地质勘探、矿区水文地质工程地质勘探来看,该地段常靠近外围区,是勘探程度和研究程度较低的地段。因此在这样地段构筑防渗帷幕,应进行水文地质工程地质勘探,方能为防渗帷幕设计提供可靠的资料。

防渗帷幕的构筑工程量大,消耗材料多、投资高、施工工期长及严格受水文地质工程地质条件制约,这也要求有可靠的水文地质工程地质资料为依据。帷幕水文地质工程地质勘探是在矿区勘探之后进行的,主要是查明帷幕地段的边界条件和为注浆而进行一系列的物探和水文地质试验等工作,是矿区水文地质工程地质勘探所不能代替的。

6.3.3 40m 或 80m 的勘探孔间距不应理解为勘探孔距的可自由变化区间。本条意思是根据条件复杂程度在二者中取其一,这样便于后期利用时与其他注浆孔位置相协调。

确定相对隔水层的标准与帷幕幕体抗渗性设计标准一致。即设计的幕体抗渗性越高,则要求作为相对隔水层的地层本身的渗透性越低。

6.4 防渗墙水文地质工程地质勘探

6.4.3 勘探中确定相对隔水层的标准与防渗墙墙体抗渗性设计标准一致。

6.4.4 这些要求为防渗墙施工工艺的选择及实际施工过程中特殊地段的处理提供了依据。在以往防渗墙施工中,由于设计提供的防渗墙中心线处的地质剖面图通常是根据间距很大(往往大于50m)的一些勘探孔资料,或是根据离防渗墙中心线较远的一些勘探孔投影到墙中心线处绘成的,这给造孔时墙底基岩的鉴定带来了困难,有时误将孤石当成基岩。国外的防渗墙工程也倾向于开工前有较密的勘探孔和较准确的墙中心线处的地质剖面图。因此,要求勘探孔孔距20m~50m,钻孔应穿透含水层,进入隔水层10m。

6.5 井下避水工程水文地质工程地质勘探

6.5.1 避水工程指充分发挥开采范围弱含水岩体与隔水岩体的作用,减少或避免强含水岩层地下水大量涌入矿井。勘探工作重点在于控制顶底板及侧壁隔水岩体的边界位置、完整性及阻水能力评价,减少强含水层对矿井的危害。

6.6 老窿水防治水文地质工程地质勘探

6.6.7 《国家安全监管总局 国家煤矿安监局关于开展煤矿防治水专项治理的通知》(安监总煤调〔2012〕29号)强调,煤矿开展防治水工作需坚持"预测预报、有疑必探、先探后掘、先治后采"的原则。《煤矿安全规程》也规定,矿井必须做好水害分析预报,坚持有疑必探,先探后掘的探放水原则。"有疑必探,先探后掘"的原则同样适用于老窿充水的其他矿山的防治水工作。我国矿山开采历史悠久,历史上留存了大量的废弃、关闭矿井,存有大量的老窿和采空区,可能存有积水和有害气体,成为矿山安全生产的隐患。要全面查清此类矿区的老窿水,工程量大,也十分困难。为了保障矿山生产和矿工生命安全,对于水文地质条件复杂的矿井,在地面难以查明矿井老窿水分布时,要执行"有疑必探,先探后掘"的原则。

本条为强制性条文,必须严格执行。

6.7 矿区地表水防治水文地质工程地质勘探

6.7.1 不同开采工程所处水文条件各不相同,地表防治水可能面对各不相同的防治对象,采用不同的防治方法。不同水文条件,不同防治水方法对勘探工程布置和相关试验内容有不同的要求。因此,地表水防治水文地质勘探应与防治水初步方案的具体要求紧密结合。通过勘探为地表水治理工程设计提供水文地质工程地质基础资料和参数。

6.7.2 需要开展地表水防治的矿山,对地表水文、气象资料的要求相应提高。本条中要求收集的资料指除了满足本规范中规定的应进行观测的项目及收集资料的相关要求以外,针对不同情况应更详细收集的主要资料。

6.7.3 受地形或其他条件限制,河流无法改道或改道方案不经济时,可考虑采用河床防渗措施。河床防渗措施适用于流经矿区附近或矿体上方的较小河流,河水渗漏构成矿床充水的主要来源,且渗漏量较大,或渗漏河水对开采区工程地质条件有明显影响的矿床,需要针对河底进行衬砌或河床底板注浆等垂向防渗措施的防治水工程。本条规定主要针对此类工程,大、中河流的侧向防渗勘探要求按本规范第6.3节或第6.4节的规定执行。

评价渗漏量时应考虑河水和地下水位差的影响。如果当地地下水位低于河水位,应实测雨季及旱季不同条件下的河床渗漏量。如果当地地下水位接近或高于河水位,要根据实测的河床渗透系数以及地下水对河水补给和河水径流量资料预测矿床开采时的渗漏量。

6.7.4 河流改道的新河床应该选择在隔水层分布区、工程地质条件良好的地段,但在许多情况下,这些条件无法完全满足。本条主要针对水文地质工程地质条件存在不确定性的情况提出相应的规定。由于改道涉及起点拦水坝,通常其影响范围大于河床防渗,以及可能采用隧洞导水等原因,要求的剖面和钻孔数量多于河床防渗。

6.7.5 本条所指防洪堤主要指湖泊、水库、常年性较大河流等永久性水体的防洪堤。干旱地区的季节性河流的防洪堤的勘探要求可适当从简。但当干旱地区季节性河流的洪峰流量较大,如大于$100m^3/s$,洪水持续时间较长,如超过 3 日的,按本条要求执行。

6.7.6 调洪水库与一般水库相比,蓄水时间较短。勘探工作以水文地质工程地质调查为主。钻探和试验内容相对于一般水库的要求有所简化。如果对调洪水库有长期蓄水的要求,应按相应级别的一般水库进行勘察,具体工作应按现行国家标准《水利水电工程地质勘察规范》GB 50487 和现行行业标准《中小型水利水电工程地质勘察规范》SL 55 执行。

矿区河流缺乏水文观测资料是常见的现象。水文地质调查中应关注历史洪水痕迹的调查和访问,通过对洪水痕迹的调查以及对河沟纵、横断面的测量,可以推算历史洪峰流量,是解决资料缺乏问题的有效方式之一。

6.7.7 本条中截水沟指控制汇水面积较大及流量较大的截水沟。汇水面积大于$1km^2$,平均流量大于$0.1m^3/s$的情况按本条规定执行。在截水沟通过的地层或边坡工程地质性质不良的情况下,只要截水沟常年流水,即应按本条规定执行。

6.7.8 水体下矿床指海水、湖泊、水库、常年性较大河流等地表水体下方的矿床,矿体上方存在大范围极强含水层的矿床也可参照本条规定。勘探线间距和孔距主要取决于矿体上方隔水层厚度大小,可根据隔水层厚度大小相应调整。隔水层厚度较小或厚度变化较大时,线距和孔距不应大于隔水层厚度的 10 倍。

水深较大,钻孔施工困难时,物探相对具有更重要的作用,对物探的精度和范围要求相应提高。采用三维地震物探可以更好地控制勘探区断裂的分布、产状和断距。适当加大控制面积和探测深度是为了更好地控制地质构造的分布规律。

水体下矿床勘探是一个比较特殊的情况，本应有专门章节进行更严格和更完善的要求。目前此方面经验尚不充分，此部分内容暂列在地表水防治勘探的要求中，待条件成熟后形成专门章节。

7 其他专项水文地质工程地质勘查

7.1 岩溶矿区地面塌陷防治水文地质工程地质勘查

7.1.2 根据岩溶地面塌陷发生的可能性和严重程度,一般划分为四个区:

塌陷高发区:塌陷数量多、规模大,塌陷复发频率高的区域。

塌陷活跃区:地下水位在基岩顶面标高上下频繁变化,潜蚀作用及吸蚀作用均较强烈,塌陷发生率较高的区域。

塌陷低发区:地下水位一般高于基岩顶面,潜蚀作用较弱,塌陷发生率较低的区域。

稳定区:地下水位大多在基岩顶面以下20m,并且在疏干状态下水位变幅不大,潜蚀及吸蚀作用均较弱,难以发生塌陷,地表趋于稳定的区域。

7.1.6 对于排水疏干可能引起岩溶塌陷、沉陷或地表开裂的矿区和排水疏干已经出现岩溶塌陷、沉陷或地表开裂的矿山,在塌陷高发区或活跃区进行大流量、长历时的抽水试验或井下放水试验是暴露岩溶塌陷的有效手段。抽水试验或井下放水试验一般在勘查工作后期进行。抽水试验的抽水量根据前期勘查资料确定,至少应能使抽水井附近一二圈观测孔地下水位降至第四系覆盖层底板以下。井下放水试验的放水量视矿坑现有最大排水能力而定。抽(放)水试验延续时间根据矿区(山)具体条件,尽可能长一些。

采用大流量、长历时的抽水试验或井下放水试验暴露岩溶塌陷具有一定的风险性。抽(放)水试验过程或之后,可能产生局部或较大范围内出现岩溶塌陷、沉陷或地表开裂。抽(放)水试验前要进行试验的风险性分析,制订应急预案,确保矿山现有建(构)筑物、居民点、道路等公共设施的安全。

7.2 竖井水文地质工程地质勘查

7.2.2 竖井水文地质工程地质勘查钻孔资料是井筒防治水和支护设计的主要依据。竖井开始建设时,矿区都已施工了大量的探矿钻孔,对地质条件有了相当的了解。以往有关规程规定距井筒 25m 以内已有钻孔的,可借用其地质资料而不再施工竖井工程钻。由于地质条件复杂程度的不同,有时可以较准确地预测超过百米范围的地质条件,而有时预测 20m 以外的地质条件都可能有很大风险。考虑参考钻孔到竖井的允许距离时,应重点考虑地质条件的变化程度。利用其他钻孔资料替代竖井工程钻的基本前提是井位及周围水文地质条件简单。当井位附近工程地质条件也简单时,允许参考钻孔的距离为 75m。当工程地质条件为中等复杂时,允许参考钻孔的距离为 25m。当附近可参考的工程不是钻孔而是竖井时,可再放宽允许参考距离 1.2 倍~1.5 倍。

本条中相关专业人员指对该矿区较熟悉的、负责该矿区勘察、设计或建设单位中的水文地质工程地质专业人员,或矿山防治水经验较丰富的其他水文地质工程地质从业人员。供参考的已有钻孔资料的适用性必须由相关的专业人员进行判断。

斜井和斜坡道勘察可参照竖井勘察要求的基本原则。

7.2.3 多数有色金属矿山围岩为硬岩,受断裂主导成矿和热液蚀变成矿占有较大比例。导水断裂及伴生的岩溶多构成陡倾导水带。这些与层状矿床含水层多"成层"分布有一定区别。尽量使工程钻位于竖井中心,可以更精确地控制不良地质体切过井筒的位置。当井筒围岩包含软弱岩层或可溶盐类岩层,钻孔施工时的摆动可能导致井壁岩石破坏(勘查孔明显扩径)时,则勘查钻孔应布置在井筒掘进断面以外。距离井筒中心不大于 15m 的要求适用于此类情况。

对于有色金属矿山,陡倾的导水断裂带、陡倾的岩溶接触带等是竖井建设中最常见的不良地质现象。在目前的技术水平下,这种有重大影响的不良地质体达到一定规模时,通过地表详细地质测绘,辅以必要的物探测量,进行综合分析后,有可能提早发现,使竖井避开地质条件复杂部位。经过地表及勘察钻孔资料的综合分析,如有必要也可以提出小范围移动井位的建议。小范围改变井位,指井位的移动不会影响矿山开拓系统的总体布局(一般100m～200m之内)。

以往有关规程规定竖井勘查孔的深度为超过设计井底深度10m。工程实践证实,如果井底及其周边水文地质工程地质条件简单,勘察孔超过井底5m终孔也不会影响竖井建设和使用。

目前金刚石钻进、绳索取芯、双管钻具、三重管钻具等钻探技术普遍应用,有条件对岩芯采取率提出较高要求。按工程地质岩组分层的平均采取率指标可以保证最基本的要求,且便于操作。

松散层和破碎带的性质对竖井建设影响较大,应尽量提高其采取率以保证勘查质量。钻进中必须密切关注地层性质的变化,一旦发现岩石性质变差,必须相应减小回次进尺以保证岩芯采取率。

7.2.5 必要的原位测试指根据基础处理方式的不同(如是否采用桩基)提供所需要的不同参数,或根据地层性质的不同(砂层或黏土淤泥层等)而采用不同的测试方法。

7.2.7 竖井涌水量预测具有较大不确定性的原因之一,是勘查孔的抽水试验降深与竖井掘进深度相比太小。因此,本规范将抽水降深作为主要要求指标。裂隙水具有明显的不均一性,勘查孔揭露地段裂隙被局部充填可能明显降低导水性的试验结果。更大的抽水降深有助于暴露此方面的真实条件。要求抽水试验的降深与竖井穿过含水层时承受的水头相关联,比规定单一的降深值更合理,具有较好的操作性。

目前小直径水泵的排水量 $15m^3/h$～$20m^3/h$ 较常见。在此泵量下仍不能达到所规定的降深,则表明竖井正常掘进将因涌水量过大而变得很困难,应考虑相应的治水措施。在这种情况下,涌水量的精确预测并不是最重要的,应重视的是强含水层的位置、厚度等条件。

竖井深度较大时,更可能遇见多个含水层或导水构造,采用传统的分层抽水试验难度很大。要求大降深的分层抽水更困难。深井治水需要克服高压水头,对含水层的水文地质参数的精度要求更高。小降深的试验预测埋藏很深的含水层的涌水量风险很大。因此,对于较深的竖井,应进行分层压水试验。较高试验压力可以保证在导水性不均匀的断裂带中得到更可靠的结果。

7.2.9 处于地应力异常区的矿床应自勘查孔深 300m 开始测量地应力。地壳稳定区可从 500m 深开始测量。地应力测量可采用水力压裂法。在确定岩芯方向(定向钻进或地质判断)的情况下,可以利用声发射法测定地应力。

7.3 地温勘查

7.3.1、7.3.2 有关矿山开采的安全规程规定井下生产的环境温度(干球温度)不得高于 28℃,高于此温度时需考虑降温措施。因此,矿体主要标高的岩温达到 30℃ 时,应加强地温测量。

规定矿体埋深的参照点为当地侵蚀基准面而不是矿体的垂向埋深,可以在一定程度上避免地形切割因素对认定矿体埋深的影响。

地温梯度较高的地区、构造相对活动区、气候湿热等地区,应对埋深相对更浅的矿床进行测温。

7.3.6 本条中所指的地下水不限于地下热水,也包括浅部冷水循环的影响。地下水对温度场有明显影响也是矿床水文地质条件较复杂的反映,进行测温的探矿钻孔应尽量多。钻孔测温为调查矿体及其围岩水文地质条件的手段之一。

7.3.8 规定钻孔温度测井应在停止钻进的 1d～3d 后进行,是为了消除冲洗液循环对钻孔附近地温场的影响。冲洗液循环对钻孔附近地温场的影响与冲洗液消耗量有关。测温段钻进期间冲洗液消耗量较大的,需要的静井时间应更长。基本没有冲洗液漏失的钻孔,静井时间可适当减小。地温异常的地区通常地壳活动性相对较强,规定在测温钻孔中选择有代表性的钻孔进行放射性测井是为了了解是否存在放射性异常。此处放射性异常指开采区域矿石或围岩的放射性超过安全生产允许范围的情况。如存在放射性异常,应注意评价其对开采安全的影响程度。代表性钻孔包括揭露矿区地层较全,揭露主要构造带、地温梯度大,或水质成分特殊的各类钻孔。

7.4 地应力场初步调查

7.4.3 地应力测量钻孔个数包括竖井工程地质勘察钻孔中完成地应力测量的钻孔。地应力异常的地区通常地壳活动性相对较强,应注意是否存在放射性异常。明显残余构造应力的情况,指构造分布范围的应力与相同深度的其他部位相比,地应力值相差20%以上,且应力方向与构造本身有成因关系。较大空间的独立采场,指岩体质量中等的情况下采场暴露面积(顶板或侧壁)达到1000m^2,岩体质量优良的情况下采场暴露面积(顶板或侧壁)达到2000m^{2}的情况。

7.4.4 目前矿区进行地应力测量的实例还不是很多。测量方法也有待于今后继续完善。水力压裂法适用于不透水岩层。声发射法更适用于花岗岩等结晶岩类的矿床,必须采用岩芯定向技术对相应的岩芯样定向。目前应变片应力解除法测量深度为300m左右,条文中较浅深度指300m以上。孔壁剥落超声波测量法的原理是利用超声波测量因高应力导致孔壁破坏剥落的方向、宽度和纵向深度,结合岩石结构推断地应力大小,适应于深度1500m以上,或50MPa以上的更高地应力的情况。

7.4.5 地应力达到一定水平时,对开采产生明显影响。深切河谷底部因地貌原因应力集中,次生应力可以达到较高水平,且不少深切河谷本身即处于现代构造活动性强的区域。因此规定深切河谷底部应从地表附近开始测量。此处所指的地表附近是为了避开浅层沉积物和地表风化的影响。大多数地区,浅部地应力不会达到较高水平,或应力场因地形、风化等原因而畸变。一般情况下,不必自地表就开始测定地应力。根据目前的经验,钻孔中应开始测量的深度,在地应力异常区的矿床应自300m开始,地壳稳定区可从500m深开始。

7.4.6 局部构造因素和巷道开挖引起的应力重分布是导致巷道中地应力测量结果变异性较大的主要原因。测量点数的要求和同一位置宜施工不同方向测量钻孔的要求,就是为了消除这些因素的影响。

7.5 矿区老钻孔处理

7.5.1 不同勘查阶段的各类钻孔资料可能分散在不同的勘查报告中。进行矿区水文地质勘探或补充勘探时,应按此要求将以往各类钻孔进行汇总,目的是为将来矿山在开发过程中,防止老钻孔透水造成突水事故。

7.5.2 揭露矿体及矿区主要含水层的各类钻孔,实际已人为地成了沟通矿体和含水层的通道,形成不同程度的突水隐患。如果不疏干这些含水层,地下水将被导入矿坑。为此,要求此类老钻孔重新封孔。

7.5.3 本条规定,当矿体上方存在间接顶板含水层,矿区设计不预先疏干矿体间接顶板含水层时,未封闭或封闭质量不合格的老钻孔应重新封孔。但如矿区设计采取疏干间接顶板含水层的防治水措施,该类钻孔也可不重新封孔。

7.6 地下水及地表水监测

7.6.2 有代表性的钻孔、井、泉、地表水体或生产矿井,指这些观测点获得的观测结果能反映所研究矿区内的客观水文条件,不会出现虚假现象。

7.6.5 在注浆帷幕、防渗墙等堵水工程内、外侧成对布置地下水位监测孔,是为了了解和监测堵水工程的堵水效果。在采矿影响范围内的地表水体上、下游设立观测点,是为了了解和监测地表水体是否渗漏补给其下部含水层。在可能存在岩溶塌陷的矿山,为了防止某一特定建(构)筑物因矿山排水疏干产生塌陷遭受破坏,在该区设置地下水位观测孔,观测其水位降低情况,并进行预警。

7.6.6 地下水位急剧变化指水位变动幅度与平常情况相比增大30%以上的情况。

7.6.7 涌水量对降雨变化敏感的矿区,建议在矿区设立简易雨量站。由于矿山一般位于山区,可能与已有气象站(多处于平坦地区)降雨量差别较大,特制订本条规定。